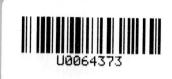

劉福春・李怡 主編

民國文學珍稀文獻集成

第三輯

新詩舊集影印叢編　第118冊

【臧克家卷】

十年詩選

重慶：現代出版社 1944 年 12 月初版

臧克家　著

生命的秋天

重慶：建國書店 1945 年 5 月初版

臧克家 著

花木蘭文化事業有限公司

國家圖書館出版品預行編目資料

十年詩選／生命的秋天／臧克家　著 — 初版 — 新北市：花木蘭文化事業有限公司，2021〔民 110〕

172 面／104 面；19 ×26 公分

（民國文學珍稀文獻集成・第三輯・新詩舊集影印叢編　第 118 冊）

ISBN 978-986-518-473-5（套書精裝）

831.8　　10010193

ISBN-978-986-518-473-5

民國文學珍稀文獻集成・第三輯・新詩舊集影印叢編（86-120 冊）

第 118 冊

十年詩選
生命的秋天

著　　者　臧克家
主　　編　劉福春、李怡
企　　劃　四川大學中國詩歌研究院
　　　　　四川大學大文學學派
總 編 輯　杜潔祥
副總編輯　楊嘉樂
編　　輯　許郁翎、張雅淋、潘玟靜　美術編輯　陳逸婷
出　　版　花木蘭文化事業有限公司
社　　長　高小娟
聯絡地址　235 新北市中和區中安街七二號十三樓
　　　　　電話：02-2923-1455 ／傳真：02-2923-1452
網　　址　http://www.huamulan.tw 信箱 service@huamulans.com
印　　刷　普羅文化出版廣告事業
初　　版　2021 年 8 月
定　　價　第三輯 86-120 冊（精裝）新台幣 88,000 元　

十年詩選

臧克家 著

現代出版社（重慶）一九四四年十二月初版。
原書三十二開。

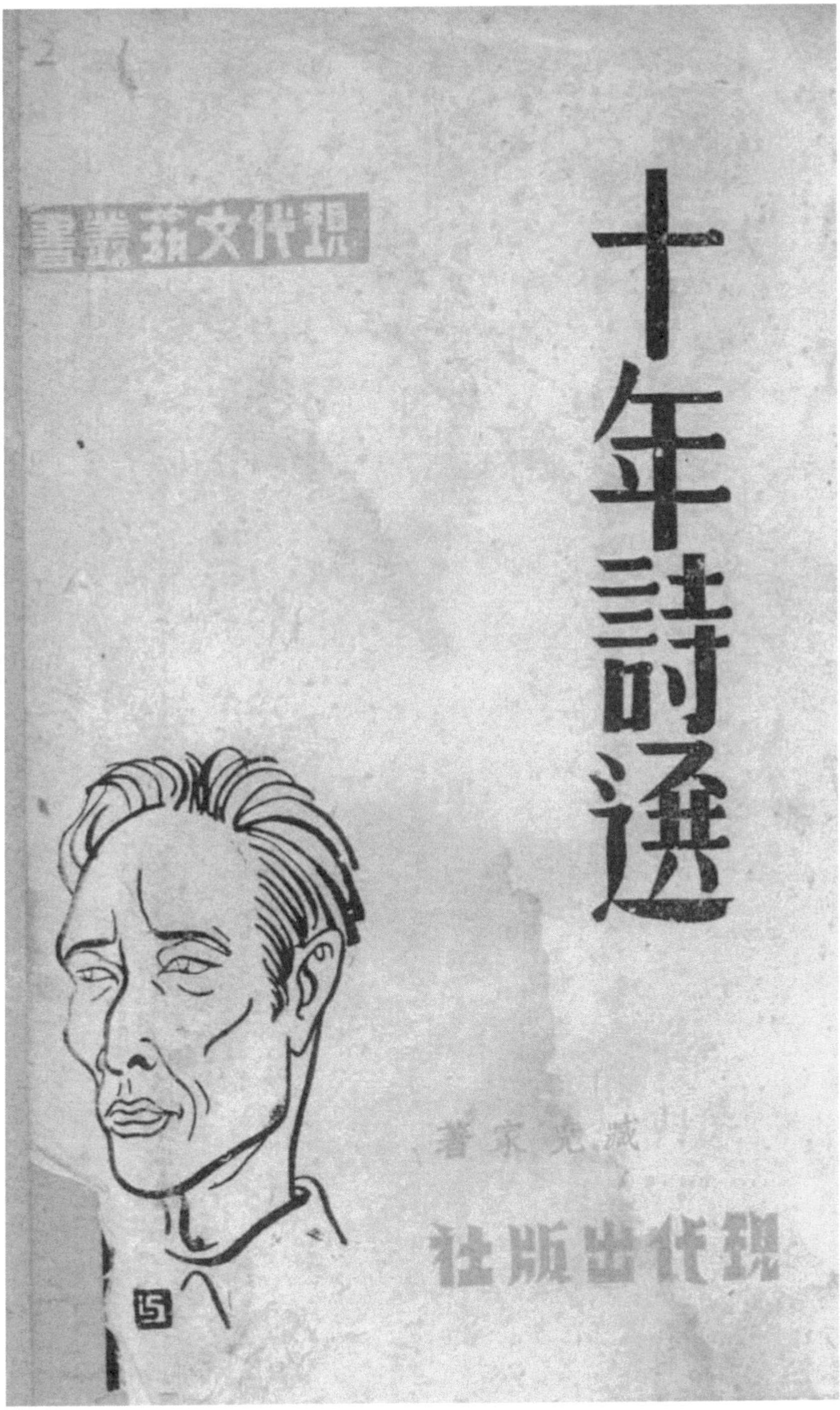
現代文藝叢書
十年詩選
臧克家著
現代出版社

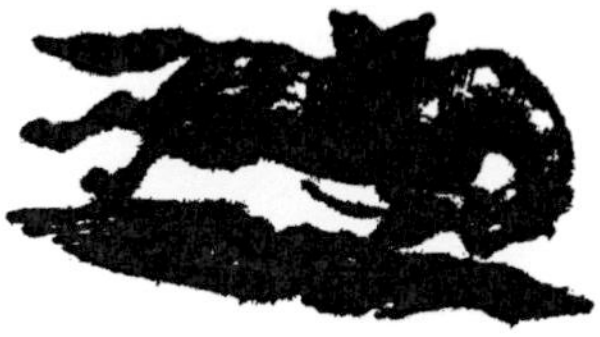

十 年 詩 選

現 代 出 版 社

現代文藝叢書之二
十年詩選
著作人 臧克家
發行人 現代出版社
中華民國三十三年十二月初版
不准翻印 （渝）○○○一——二○○○

目　錄

序

當金風蕭瑟，萬物成熟的秋天到來的時候，我在人間恰恰活滿了四十年。好比乘特別快車作一次長途旅行，坐在車廂裏，隔一片玻璃，看山水，田野，村落，奔馳過去，匆匆的，過眼雲煙，想把捉，幾乎是徒然，到了車停下來，看着站口的木牌上標着「四十」兩個大字，這才若有所失，像劉晨阮肇在仙山上，只覺得眼前吹過了幾陣冷熱的風，而人間已是千百年了。

四十歲，是生命的秋天。四十歲，才知道用靈魂的眼睛重新去看——看宇宙，看人生，看自己的過去和未來。

因此，我也想重看一下自己的詩。

自從以癡心，熱情，夢幻，拙劣，塗詩的老鴉，已將近二十年了。如果塗在各樣本子上的那些所謂「詩」的東西，全部存留下來，會堆成一座小小的山吧，這成績，既驚人，又笑人。就從詩的第一產——「烙印」出世的廿三年，截止到去年「國旗飄在鴉雀枝」的出版，也已經整整的十個年頭了。

十年間，我總共印了十三本詩，現在 爲了迎接四十的生辰，把它們從嚴挑選一下，作爲一份禮品自贈，並敬贈給社會，不能算沒意義的吧。

選詩，太長的有困難，所以「自己的寫照」，「淮上吟」，「向祖國」，「古樹的花朵」，「感情的野馬」，只好踢開。從八本短詩裏，我挑過來，挑過去，用了沙裏揀金的心情和耐性，一遍又一遍的挑選。把根本看不上眼的丟在一旁（詩篇呵，你不能抱怨我，我以鐵面對着你們，跳不過詩的龍門，只好怨自己的拙劣了。）把有希望入選的題額上黏一張張小條，上面標着：「選」，「擬選」，「？」，三等。然後，再反復咀味，斟酌，像一個嚴明的審判官判定一件重要的案子，我怕自己的詩篇，有的僥倖，有的寃枉。反復，猶疑，翻案，經過了劇烈的鬥爭，在優勝者的頭頂上，我點狀元似的畫一個紅圈。這樣，我還怕偏愛，私見，隱伏在心裏，我還怕有些篇什以歷史的因緣與情感攀我，誘我，媚我，賄我。我又用藍鉛筆在另一些詩篇上打了記號。

我請教了第一位朋友。他寫批評也寫詩。他以偶然的機會來看我，在山上停留了一天，我也決不放棄這個偶然的機會。十年前，他讀過我的「烙印」，而且，寫過批評。我看他躺在躺椅上，啣一支煙，手邊的桌上擺一杯茶。他的心注在詩頁上，他的眼盯在詩頁上，望着他的樣子，我有點輕微的心跳！半寸長的煙灰落在身上，他不覺得，茶冷了，他也不知道。他用筆在同一紙條上寫下了不同的意見。他給落選的貼上簽子，他把我的「選」字下寫一個「刪」或「可刪」，在另外幾篇上標一個「必」字。他用口，用一兩個字，表示了他的意見，大部分和我的相同，在不相同中，他有一些見解是可寶貴的，我遵從了他。

我又挾着全部詩集去請教第二位朋友。他對我的人，我的詩，了解得相當深。他寫小說，却喜歡讀詩，談詩，他是「詩人之友」。又同他冒着微雨跑到公園路約了另一位朋友，一起上了「江山一覽軒」。一張小方桌，三杯清茶，桌上攤開了八本集子。對着江，對着山，對着詩。他們細細的讀完了它(其實早已讀過了的)，珍重的表示了自己的意見，向糖菓攤上的女主人借來支禿筆畫上了符號。意見小有出入，我保留了最後決定權。本想再多請幾位詩友參加意見，可是，每個人對詩的看法及口味，未必就一致，怕弄成「築室道謀」的情形，結果，我把它帶回山上，三思而酌的決定下來，在目錄上數了一下，不多也不少，恰好七十首。十幾年的心血，凝結成這七十篇東西，選它們的時候，雖然是價重又價重；誰敢說，它們不是一顆閃着金光的砂粒，誰敢說，它們不是一堆稗糠呢？我沒法管，也管不了這麼多，既已盡其在我，就把它們攜到時間的風裏，讓它們沉者自沉，浮者自浮去吧。

重讀一遍自己的詩，像重溫一下十幾年來的生活，情感隨着往事一起一落，一條悠長崎嶇的道路，今天，我用心的脚步又在上面疾馳了一遍，感慨當然不只一端，而且這感慨，還是頗爲沉重的呢。人，當他回頭向過去無底的深淵探望時，總得先準備好一點勇氣。何況，檢選十年來的詩作，不管用的是什麼尺度，總帶點衡量，結束，也就是「蓋棺論定」過去，爲未來的詩生命作一個遠瞩呢。

詩是離不開生活的，想了解（不是誤解或曲解）一個人的詩，必先挖掘他的生活。我曾把自己的生活撮要的，結晶在一本叫做「我的詩生活」的小書裏。它是我生命的一條龍脈。我常常想給自己寫一部自傳，也就是用無情的刀割解一個滋生成長在不同時代氣流裏的悲劇型的生命。但是，我徒然這麼想，想了許久。這不是我不爲，是我不能。因爲從我生命的萌芽到目前的秋實，時代，也從它的青春度到了秋天。這個題目對我太大。所以，聽憑生動的片段場面要我表現，要得我心動，心痛，但我徒呼負負。經歷得太多，又太不平常，這經驗在未成鬱于心境時，往往變成爲擔累人的負荷。我出生在一個封建的貴冑家庭，我看到了一點榮華的殘燼，同時，我更多看到的是封建家庭總崩潰的大悲劇。這裏邊又包括了一個矛盾：這家庭的主人翁們是書生，是農民出身，以官宦始，以叛逆終。（民元革命，他們都是造反的書生。）這幼年環境給予我決定的影響：帶幾分悲觀性，愛自由。從我父親那裏接受了熱情和脆弱，我母親遺傳給我的是溫和與善良。我生于窮鄉，長于窮鄉，十六歲以前幾乎足跡沒踏到過自己村子周圍的三十里以外。我圈在這個小圈子裏，接觸的全是頂着農奴命運的忠實純樸的農民。看他們生長在泥土裏，工作在泥土裏，埋葬在泥土裏。我愛他們，我爲他們流淚，更爲他們不平！我並不完全是他們圈子外邊的一個人，有一部分命運同他們相同，有一部分又有相當距離。可以說，我是一半圈裏，一半圈外。這是很老實的話。同時，大自然的景色也陶冶了我的心靈。啊，三月的燕尾翦着春風，阡陌上的柳條綠了，農人叱着黃牛，翻起的新土噴放出沁人心脾的香味，我常是以光脚板吻着這土地。夏天，綠樹抱合了鄉村，這兒那兒到處撒一席涼蔭，給人一個人間天上的月夜；高粱，穀子，把大地綠成海洋，農夫沒入海底，身上一絲也不掛，只聽見人唱，卻看不到人在那裏，工作一天，汗流夠了，皮晒破了，傍晚，一陣涼風給他們一個痛快；柳樹底下的蓑衣上睡一晌午覺，蟬叫在樹上，牛解放在青草地上。看，一個村婦遠遠的走攏來了，不是送飯就是送湯；工作在遠處的農人，早晨扛一張鋤出去，傍晚，才帶着夕陽走回頭，當他伸手去打開他可憐的柴門的時候，月芽已經在窺他的茅簷了。秋天，農人最忙也最快樂，因爲他們的汗珠子全變成穀粒了。早晨的月亮照着他們下坡，一直到深夜還在場園上忙。金色粒子閃着夕陽，風把穀香，把笑聲，播散滿整個村莊。秋天，家家鎖着門，留一個孩子或一條狗看家。大野裏搖動着人影，車影，響動着人聲，牲口聲。晚上，一點閃爍的燈火照着人們忙手忙腳。糧食入了囤，田野像一顆大的空虛的心。上邊有什麼呢？有「秫稭園」巨人似的支撐在風裏雨裏；有西風搖着白草；有蟋蟀奏着淒涼；有幾株白楊傍一口小土墳，風來了，蕭蕭的獨唱一曲悲歌。北風，嗚嗚嗚 搖撼着樹頭，砂土把天攪昏了。一場大雪，厚被似的蓋上了整個的田野，「馬耳山」只剩了一隻耳朵，老鴉像人一樣作號寒啼飢的叫喊了。農人們，忙碌了一年，將收穫送給了主人，把自已關在小小的一間土屋子裏，炕頭是冷的，鍋底是冷的，從破牆縫裏灌過來的風是冷的。身上不見一點棉絨，上下牙巴骨劇烈的交戰着，一條「燈籠褲子」包裹着的是變了顏色的一塊醬紫肉。這是農村的冬天。

我就在這樣鄉村裏，從農民的飢餓大隊中，從大自然的景色中，長成的一個泥土的人。

讀者先生們以爲用這許多筆墨來畫一幅鄉村是浪費吧，但我却嫌它太短，太不夠，因爲它在我的胸窩裏實是太多，太多，它充滿了我的心，它沁透了我的整個靈魂。我如果握着蕭洛霍夫，托爾斯泰，左拉或巴爾扎克諸大師們手裏的那支如椽的大筆，我將寫出怎樣的「人間悲劇，」怎樣的「羅貢・馬加爾」，怎樣的「飄飄的馬耳山」，怎樣的悲慘土地上千千萬萬悲慘的人物啊。

鄉村的風景，使我永遠愛「柳梢上的月明」，鄉村的生活，使我頑強，樸實，幾乎是固執。我愛農民，連他們身上的瘡疤我也愛。我的愛，是眞摯的，是以全心靈去愛，好似「拜倫」愛他的祖國一樣，連着它的瑕疵也愛在一起。了解這點，才可以了解我的「村夜」，「場園上的夏夜」，「答客問」，「溫柔的遊旋」，以及「泥土的歌」的全部詩篇。許多人介紹了「泥土的歌」，但未必就完全瞭解了它；許多人批評了「泥土的歌」，但未必就十分中肯。了解詩同了解人一樣困難。心和心的距離是多麼近，又是多麼遠啊。慣于都市生活的朋友，他認為霓紅燈比柳梢上的月映進步又好看，這在他，也許是真實的，（也許略強調了一點智性）但這和我的感覺，我的真實，却差得無可較量了。雪垠兄在「論現代田園詩」一文中，有許多意見很好，說得我又愛又怕，但有些地方却猜錯了我的心。譬如他說到我的寂寞，只把這寂寞看做我個人的，這不對，我的寂寞感覺，蒼涼感覺，是生根于寂寞的農村，蒼涼的農村，也可以說，它是破碎封建農村的農民傳染了我。「遙望」寫的不是我的寂寞，是我「老哥哥」的；白楊樹下枯墓裏死人的寂寞，是整個農民命運的寂寞。它是多數人的，不是我獨有的。

像一個人只有一顆心，一次愛一樣，我把整顆心，全個愛，交給了鄉村，農民；所以，我不能再愛都市了。愛情不是也不能勉強的。詩，鏈不得假。

我所愛的當然是封建性的鄉村，我所愛的，也還是悲劇型的農民，這，我決不諱言，我還願意勇于承認它。因為，直到現在，多數的農村依然在激盪，多數農民的生活和命運還總在動轉，但大部也還在新舊交替蛻變的過程中。我還沒能夠接觸到新生的農村，新型的農民。我不敢用觀念，用口號，用智性去空洞的歌頌，因為在認識上我看到了它的影子，但在情感上我還沒抱緊它！在「泥土的歌」裏，比較優秀的詩篇，不是那些歌頌的，而是那些寫實的。在理智方面，我贊成「康拜因機」，我歌頌明晃晃的電燈，但在情感上，我卻眞心愛「帶月荷鋤歸」，眞心愛「柳梢上的月明」。感情如何追上觀念去抱緊它，這是一般詩人的問題，對帶濃重的頑強的農民性的我，這問題更顯得嚴重。

暴露封建鄉村的罪惡，寫出封建農民的悲慘命運，這使命也很有重大的歷史意義。比起歌頌新的來，我比較更合適暴露舊的。這無可勉強。「魯迅」先生說過，「死魂靈」的第一部已經足夠了。第二部的稿子就是幸而逃出火災，怕也未必博得人們的歡心吧。

但是，我並不是甘心把自己永遠留在落後的鄉村裏，我在一個本子上寫下了以下警惕自己的句子

「你愛農民，也要叫農民愛你；更要當心他們把你甩在後邊！」

我生活過來的這四十個年頭，正是中國，以及全世界在激變的一個大時代。從滿清到武昌起義，從北伐到「七七」事變，從忍垢含辱到全面抗戰。在世界舞台上表演了兩次大戰，誕生了一個新的奇蹟——蘇聯。個人，也曾作為一朵浪花在每個潮流

裏激盪過。北伐前夕，在濃黑高壓的北方參加了秘密活動，看着許多朋友被砍掉頭；曾穿着二尺半士兵軍裝站在「一九二七年」的武漢，還打過四十天前敵；曾背着個假名子在松花江上的秋風裏流轉；曾遭遇兩次婚變，幾乎在愛海裏滅頂；曾大病三年，哭笑自己作不得主，至今心理病態，生理病態，使我的感覺，心情，幾乎不能用常情去測量；抗戰使我興奮，憑一股單純的熱情在前方出死入生了五年………

經歷了這麼多，生活得這麼複雜。但我的詩遠不及我生命的充實。從我的詩篇裏能窺到一點時代的影子嗎?它曾印下過來生活的一點脚跡嗎?從中能聽到急烈鬥爭的叫喊嗎?能抑出掙扎慘痛的呻吟嗎?

也許能看到一點，但嫌太模糊；也許能聽到一點，但嫌太微弱。

每一次鬥爭，我所參加過的，總有許多人倒下去，許多人轉回頭，許多人挺身直前。而我自己呢?却惶惑的睜着驚奇的眼睛。我沒有倒下去，沒有後退，我用了堅穩的小步向前走。二十年來都是這樣在走着，痛苦的，矛盾的在走着。而時代却以百碼競賽的快步去接觸最後的那條綫。我害怕落後，也不甘落後，仍然堅苦的向前走着，向前走着。

這一些，不用我解釋，賢明的讀者一定會從我的詩篇裏看得清楚的。我以多數篇幅賦同情予黑暗角落裏卑微的生命——「老哥哥」，「洋車夫」，「神女」，「當爐女」，我曾寫下了「烙印」，「生活」，「希望」和「老馬」表現我的人生觀和生活態度；在失望之餘，我留下了「像粒砂」，「失眠」；至于寫鄉村的詩篇，那就更是充盈着的了。我自己知道，只表現了這一些是多麼貧乏，但如果溢出了這個範圍，那，讀者怕會又嫌它是不真實的了。

這個詩選，我是依傍了三條標準選的。第一，那些曾經起過一些影響的，如「罪惡的黑手」，「運河」，以及「烙印」集子裏的一些短詩。第二，雖然從技巧的觀點上着眼，也許不夠完整，但這些詩却是有意義的，如「生活」，「希望」。最後一個標準是：意義不一定大，但藝術水準却夠，且足以代表我某一時期的心情，如「失眠」，「像粒砂」等。

一個奇怪的現象發生了。這現象，使朋友們驚奇，也使我自己驚奇。這便是，在這個選集裏以戰前的詩，尤其是第一本——「烙印」，佔得分量最重，幾乎是以壓倒的形勢，雄踞「十年詩選」中。而戰後的東西，按比例講，少，少得可憐。「泥淖集」只選了一篇，「從軍行」也只有三篇入選，「國旗飄在鴉雀尖」成分比較多，「泥土的歌」是例外，看起來，它同「烙印」是我的一雙寵愛。

這說破了一個眞理：一個詩人把他全靈魂注入的詩，才能成爲好詩。當然，他所注入的也就是他體驗深切的，熱愛的，能同他起共鳴的。一個作品一經用生命鑄造成功，它是不能以早期晚期來判優劣的，優劣表現在它自身，而它的生命，又是詩人某一時期最眞摯，最充沛，最豐盈，幾乎是不能再次的最高表現。眞實才可以持久，一個作品眞實的生命，可以常年光輝，經久不老。由于這個理由，讀者可以瞭然「烙印」何以至今還蒙我垂青。

關於「泥土的歌」，不必再囉嗦了。

抗戰後，我在前方跑了五年，寫下了大量的抗戰詩，可是，十之八九都被丟棄了。但是，這是爲了什麼呢？到底爲了什麼呢？

抗戰的號角一響，我瘋狂了，一肚子淤積得到了傾倒，一腔子熱情，無遮攔的流洩，看到什麼寫什麼，聽到什麼寫什麼，匆匆的，在戰壕旁邊寫；匆匆的，以膝蓋做案頭寫；匆匆的，一顆心浮在半空裏寫。大炮呀，飛機呀，火呀，殺呀，血呀，淚呀，寫了三四年，寫了三四本。今天，再回頭一看，笑了。烽火固然使我恢復了青春，但同時也伴來了稚氣。黑暗一下子就可以總崩潰嗎？光明一呼就可以普照天下嗎？啊，當時自己怎麼會那樣看，那樣想呢？眼前的現實又把一塊石頭壓在我心頭上，心，沉下去了。換一雙眼睛看過去，看過去寫下的詩篇，我羞於承認它們是我生產的。這並不是因為抗戰沒能夠寫出好詩來，而是沒深入抗戰，沒把自己變成一個真正的戰鬥員，才沒能夠寫出好詩來。我歌頌士兵，而自己卻不能真正徹底了解士兵，因為他們臥在戰壕裏，而我只是在戰壕邊緣上站了一忽兒；我歌頌鬥爭，卻不是從同樣鬥爭的心情出發；這樣，我的歌頌就懸在了半空。這歌頌，你不能說它沒有熱情，但它是虛浮的，剎那的；這歌頌，你不能說它沒有思想內容，但它是觀念的，口號的。而且，寫它們的時候，也來不及作內心和技巧上的壓縮，精鍊　切磨。而不幸的是，一個真正的好詩，卻正需要深沉的情感化合了思想，觀念，鍛以藝術熔爐。

乘這個機會，讓我表白一下自己詩的道路，應該不是多餘的事。

自從我從事新詩的習作以來，詩壇風尚至少已有過兩三次的大轉向了。在這詩流激變中，我始終保持住自己。我覺得，一個人不可能完全跟着另一個走。因為一個作品就是一個人格，這是沒法摹擬的。如果把作品僅僅看做形式上的東西，那又當另作別論了。我初學詩時，受到了聞一多先生熱心教益，受到了「新月派」一點影響，於是，就有嫻熟

13

師人這樣喊過我一陣子，過了不久，看我的詩到底是我自己的，也就沒趣的停止了。當「現代派」的風橫掃千軍的一樣，當「散文化」滔滔天下的時候，我依然循着自己的道路走，不被淹沒。我決不標榜，決不把「真我」丟在一旁去趨別人。固然不該低估了形式的價值，但詩，無論如何你得承認它是從內向外的。什麼樣的生活，產生什麼樣的感情，思想，什麼樣的感情，思想，要求一個什麼樣的形式去裝它。我的生活態度比較謹嚴，樸實，熱情，所以，我的詩也是同樣。我講求凝鍊。我把一個材料向心的深處沈埋，像今天變成煤塊的樹木，千萬年前向大地的深處沈埋一樣。我注重推敲。但這決不玩弄什麼技巧的把戲，好比照像，我在苦心尋找思想和情感飽和交凝的焦點。我要求謹嚴，含蓄。（親愛的讀者，千萬不要誤解了這兩個字！）因爲，我尊重讀者，不把他們當傻子。謹嚴，就是應有盡有，不多也不少。含蓄就是力的內在。詩不是散文，應該讓讀者享受一點屬於他們的權利。

因爲我把火樣的熱情包在字句裏，我沒有將一滴滴的感情吹成肥皂泡，把它噓到半空裏去，大喊大叫的向人們號召：快來呀，快來呀，快來鑑賞我熱情的昇華呀！於是，就有些只能從表皮上認識熱情的先生們，說我的詩是什麼「客觀」的，什麼

「雕塑式」的，並且還拿我和美國詩人比較了一番，認爲我不肯把情味一洩無餘，十年前一位先生在「大公報」上評「烙印」中的「洋車夫」一詩的末句：「夜深了，還等什麼呢？」，他說：「詩人還這也不明白，讓我告訴你吧，他在等一家人的飯食呀」」這位先生真比我聰明多了。這，叫我說什麼呢？

詩的有韻無韻，在詩壇上成了大問題。我走的那一條路，讀者們是清清楚楚的。我覺得詩之所以爲詩，總有它自己的一個法則。現代的路已摸索得有點門路了，我讓自己試驗這樣，也讓別人試驗那樣。可是，無論是什麼式樣，必須把詩寫成詩！削去半截腳趾頭去穿韻腳鞋，我絕對反對，但像新近一位寫過多年詩的朋友來信中所說的：「現在有許許多多詩，不能算詩，只能算是詩料」的過於散漫的分行寫的一些東西，我也期期以爲不可。

最近，同剛來自敵後的一位詩友談到詩的散文化問題，他一向是寫有點西洋化的自由體的；可是，他最近沒有寫，已經寫成一半的一篇長詩也要重新再造它，他在考慮一個問題：詩的有韻無韻。許多人模仿「瑪雅可夫斯基」寫散文化的詩，但「瑪雅可夫斯基」本人的詩卻是有韻的。敵後在以「新秧歌」深入民間，但「新秧歌」是有韻的。現在，跑了一大段路以後，有些人忽然停住，再一次考慮它。

詩的有韻無韻了。

韻，應該是感情的站口，節奏迴歸的強烈的記號，韻，不是也不能叫它是墊脚石。

我沿着自己的道路，從「烙印」直走到現在。這中間，在形式上顯然有變化，有演進，但這變化，這演進，是沿着一條軌道進行的，而這條軌道是鋪在生活的基地上的。

現在，許多寫詩的朋友們，各人在試探一條路，只有雙眼真朦朧或假朦朧的人，才說新詩沒有路。路，不一定是一條。在律詩登峯造極的唐代，古詩，樂府，絕句，不也齊首並馳於詩壇嗎？樂府的長短句同律詩的對仗謹嚴，相去也不近啊。當然，這些舊形式的差別，沒有新詩的差別那麼大。譬如，七言都是四拍子，五言都是三拍子。新詩，尤其是散文化的詩，是無法用上音樂的節拍了。

我探步在自己的道路上，像別的朋友們探步在他們的道路上。我相信，只要大家肯認真的，忠實的，自發自信的向前走，條條路都可以通到詩國的堂奧。

回頭一看，自己走過來的路子是多麼窄小，但是，只要向前走，生活的道路是長的，寬的，人生的道路也是。

卅三年六月卅日

克家記于歌樂山中。

難　民

日頭墜在鳥巢裏，
黃昏還沒溶盡歸鴉的翅膀，
陌生的道路，無歸宿的薄暮，
把這羣人度到這座古鎮上。
沈重的影子，扎根在大街兩旁，
一簇一簇，像秋郊的禾堆一樣，
靜靜的，孤獨的，支撐着一個大的淒涼。
滿染征塵的古怪的服裝，
告訴了他們的來歷，
一張一張兜着陰影的臉皮，
說盡了他們的情況。
螺絲的炊煙牽動着一串親熱的眼光，
在這羣人心上抽出了一個不忍的想像：
「這時候，黃昏正徘徊在古樹梢頭，
從無煙火的屋頂慢慢的擴大到無邊，
接着，陰森的淒涼吞沒了可憐的故鄉。」

鐵力的疲倦，連人和想像一齊推入了朦朧，

17

饑荒，更猛烈的飢餓立刻又把他們牽回了異鄉。
像一個天神從夢裏落到這羣人身旁，
一條灰色的影子，手裏亮着一支長鎗。
一個小聲　在他們耳中開出個天大的響
「年頭不對，不敢留生人在鎮上。」
「唉，人到那裏，災荒到那裏！
一陣歎息，黃昏更加了蒼茫。
一步一步，這羣人走下了大街，
走開了這異鄉，
小孩子的哭聲亂了大人的心腸，
鐵門的響聲截斷了最後一人的腳步，
這時，黃昏爬過了古鎮的圍牆。

二、一九三二古琅琊

憂患

應當感謝我們的仇敵。
他可憐你的靈魂快銹成了泥，
用炮火叫醒你，
衝鋒號鼓舞你，
把刺刀穿進你的胸，
叫你紅血咬着心痛，你死了，
心裏含着一個清醒。

應當感謝我們的仇敵。
他看見你的生活太不像樣子，
一隻手用上力，
推你到憂患裏，
好讓你自己去求生，
你會心和心緊靠攏，組成力，
便生命再度的向榮。

三、一九三二。

希　望

自從宇宙帶來了缺陷，
人類爲了一種想念發狂，
精神上化出了一個影像，
那就是你——美麗的希望。
在沙漠上，疲倦困住了旅客的心，
他們的脚下墜着沉重，
一步一步趨向黄昏，
拖不動自己高大的影。
這時你是一泉清水，
遠遠的放出一點清響，
這聲響才觸到焦灼的心上，
他們即刻周身注滿了力量！
在暗夜裏，你是一星螢火，
拖着點誘惑的光，
在無邊的黑影中隱現，
你到底是眞實還是虛幻？
原來你沒有一定的形象，
從人心上你偸了個模樣。

現實在你後面，[illegible]，
當中永遠隔一個黑夜，
在晨光中，參謀白了眼，
望不見辰在天的那邊。
你把人類臉前安上個明天，
他們現在苦死了也不抱怨，
你老是發誰美麗的大言，
從來不知道什麼叫紅臉。
人類追着你的背影乞憐，
你曾不給他們一次圓滿，
他們掩住口老不說厭倦，
你挾着他們的心永遠向前。
你也可以驕傲的自誇：
「我的遺跡造成了現世的榮華。」
你再加一句自謙：「這算了什麼，
前面的一切更叫你驚訝！」

我們情願癡心聽從你，
臉前的醜惡不拿它當回事，
你是一條走不完的長橋
從昨天度到今天，從今天又渡到明朝。

十、一九三二。

21

生　活

這可不是混着好玩，這是生活，
一萬支暗箭埋伏在你周邊，
伺候你一手囘小心裏一囘的不檢點，
災難是天空的星羣，
它的光輝拖着你的命運。
希望是烏雲縫裏的一縷太陽，
是病人眼中最後的靈光，
然而終須把它來自慰，
誰肯推自己到絕境的可憐？
過去可喜的一件一件，
（說不清是眞還是幻）
是一道殘虹染在西天，
記來全是黑影一片，
惟有這是眞實，爲了生活的掙扎，
留在你心上的沉痛。
它會教你從棘針尖上去認識人生，
從一點聲響上抖擻你的心，
（那怕是春風吹着春花）

像一員武士在嘶馬聲中想起了戰爭，
那你再不會合上眼對自己說：
「人生是一個無據的夢。」
更不會蒙冤似的不平，
給蚊虫釘一口，便輕口吐出那一大串詛咒，
在人生的劇幕上，你旣是被排定的一個角色，
就該拚命來一個痛快，
叫人們的臉色隨着你的悲歡漲落，
就連你自己也要忘了這是作戲。
你旣膽敢闖進這人間，
有多大本領，不愁沒法施展，
當前的磨難就是你的對手，
運盡氣力去和它苦鬥，
累得周身的汗毛都擎着汗珠，
但你須咬緊牙關不敢輕忽，
同時又怕克服了它，
來一陣失掉對手的空虛。
這樣，你活着帶一點苦澀，
儘多苦澀，苦澀中有你獨到的眞味。

[illegible]·一九四二·

烙　印

生怕回頭向過去望，
我狡猾的說：「人生是個謊，
痛苦在我心上打個印烙，
刻刻警醒我還是在生活。

我不住的撫摩這印烙，
忽然紅光上灼起了毒火，
火光裏迸出一串歌聲，
件件唱着生命的不幸。

我從不把悲痛向人訴說，
我知道那是一個罪過，
渾沌的活着什麼也不覺，
既然是謎，就不該把底點破。

我嚼着苦汁營生，
像一條吃巴豆的蟲，」
把個心提在半空，
連呼吸也覺得沉重。

天　火

你把人生詩得那樣美麗，
像才從柯上摘下來的，
在上面馳騁你靈幻的光，
畫上了一個一個夢想。

這你也可以說是不懂，
濃雲把悶氣寫在天空，
蜻蜓成羣飛，帶着無聊，
那是一個什麼徵兆。

一個少女換不到一頓飯吃，
人肉和猪肉一樣上了市，
這事實真難人又新鮮，
你只管掩上眼說沒看見。

我知道你什麼都諳熟，
為了什麼才裝做糊塗，
把事實上蓋上篇乎，

辭

你對人說：「什麼也沒有。

人們有一點守不住安靜，
你把他砍頭再加個罪名，
這窩餘燼都看清，
你要從死灰裏逼出火星。

不過，到了那時你得去死，
宇宙已經不是你的，
那時火花在平原上灼，
你當驚歎：「奇蹟的天火！」

失　　眠

聽不到罪惡的喧囂，
也捉不到一點光，
血淋淋的我那顆心，
在黑影的邊底發亮。

模糊的一片悲哀——
無聲的雨點打來，
一團一團黯淡的花朵，
向飄渺的遠方開。

六，一九三二。

像粒砂

像粒砂，風挾你飛揚，
你自己也不知道要去的地方，
不要記住你還有力量，
更不要提起你心裏的那個方向

從太陽冒紅，你就跟了風，
直到黃昏抛下黑影，
這時，天上不鑲一顆星，
你可以抱緊草根靜一靜。

三、一九三二

不久有那麼一夫

不要管現在是怎麼，等着看，
不久有那麼一天，
宇宙捫一下臉，來一個奇怪的變！
天空耀着一片白光，
黑暗嚇得沒處躲藏，
人，長上翅膀，帶着夢飛，
賽過白鴿翱着清風，
到處響着渾圓的和平。
醜惡失了形，美麗慌張着找不到自己的影。
偶然記起前日的一生，
像一個超度了的靈魂，
追憶幾度輪迴以前的殘形。
不過，現在你只管笑我愚，
就像笑這樣一個瘋子，
他說：「太陽是從西天出，
黃河的水是清的。」

這話於今叫我拿什麼證實？

29

陰天的地上原找不出影子。
但請你注意一件事：
暗夜長翼底下，
伏着一個光亮的晨曦。

老　馬

總得叫大車裝個夠，
它橫豎不說一句話，
背上的壓力往肉裏扣，
它把頭沉重的垂下！

這刻不知道下刻的命，
他有淚祇往心裏嚥，
眼裏飄來一道鞭影，
它抬起頭望望前面。

四•一九三二•

老哥哥

「老哥哥，翻些破衣裳幹嗎，
快把它堆到炕角裏去好了。」
「小孩子，不要鬧，時候已經不早了！」
（你不見日頭快給西山接去了？）
「老哥哥，昨天晚上你不是應許
今天說個更好的故事嗎？
「小孩子，這時候你還叫我說什麼呢？」
（這時候你叫他從那兒說起？）
「老哥哥，你這剎對我好，
大了我賺錢養你的老。」
「小孩子，你爸爸小時也曾經這樣說了。」
（現在趕他走不算錯，小時的話那能當眞呢。）
「老哥哥，沒聽說你有親人，
你有一個家嗎？」
「小孩子，你這兒不是我的家呀！」
（你問他的家有什麼意思？）
「老哥哥，你剛到俺家時，我爸爸不是和我這時一
樣高？」

「小孩子，你問些這個幹什麼？」
（過去的還提它幹什麼）
「老哥哥 ， 你爲什麼不和以前一樣好好哄我玩了？」
「小孩子，是誰不和以前一樣了？」
（這，你該去問問你的爸爸。）
「老哥哥，傍落日頭了，牛餓得叫，你快去喂它把草。」
「小孩子，你放心，牛不會餓死的呀！」
（能喂牛的人不多的很嗎？）
「老哥哥，快不收拾罷，你瞧屋裏全黑了，快點去，把大門關好。」
「小孩子，不要催，我就收拾好了。」
（他走了，你再叫別人把大門關好。）
「老哥哥呀，你……你怎麼帶着東西走了？我去和我爸爸說。」
「小孩子，不要跑，你爸爸最先知道。」
（叫他走了吧，他已經老的沒用了！！）

三・一九三二・

83

神　　女

天生一雙輕快的腳，
燕一般的往來周旋，
細的香風飄在衣角，
她衣上的花朵開滿了愛戀。
（她從沒說過一次戀情。）

她會用巧妙的話題
敲出客人苦澀的歡喜，
她更會用無聲的眼波，
給人的心塗上甜蜜。
（她從沒吐過一次心跡。）
紅色綠色的酒，
開一朵春花在她臉上
肉的香氣比酒還醉人，
她的青春夾一派的狂旺。
（青春跑得多快，她沒暇去想。

她的喉嚨最會選歌唱，

一聲一聲打的你心響，
歡情，悲調，什麼都會唱，
只管說出你的願望。
（她自己的歌從來不唱）

她獨自支持着一個孤夜，
燈光照着四壁的帳起，
記憶從頭一齊亮，
噓一口氣，她把雙眼合上。
（這時，宇宙只有她自己）

一九三三，元月

當爐女

去年，什麼都是他一手担當，
喉嚨裏，痰呼呼的響，
應和着手裏的風箱，
她坐在門欄上守着安祥，
小兒在懷裏，大兒在腿上，
她眼睛裏笑出了感謝的靈光。

今年，她親手拉風箱，
白絨繩拖在散亂的髮上，
大兒捧住水瓢碟盞着分忙，
小兒在地上打滾，哭的發了狂，
她眼盯住他，手却不停放，
牧果咬住牙根：「什麼都由我承當！」

八，一，一九三二

洋車夫

一片風嘯湍激在林梢，
雨從他鼻尖上大起來了，
車上一盞可憐的小燈，
照不破四周的黑影。

他的心是個古怪的謎，
這樣的風雨全不在意，
呆著像一隻水淋鷄，
夜深了，還等什麼呢？

一九三二年

漁　　翁

一隻古老的帆篷，
來去全憑着風，
大的海，一片荒涼，
到處飄泊，到處是家。
老練的手，

不怕風濤大，
船頭在浪頭上，
銜起朵朵白花。
夕陽裏載一船雲霞，
靜波上把冷夢泊下，
三月裏披一身煙雨，
臘月天飄一簑衣雪花。
一支櫓，曳一道水紋，
駛入深色的黃昏，
在清冷的一絃星光上，
撥出一串寂寞的歌。
聽不盡的濤聲，

一陣大，一陣小 —
飢圍的吼叫，冷 的歎息，
飄滿海夜了。
死沈沈的海上
亮着一點火，
那就是我的信號
啓示的不是神秘 是淒涼。

三 九二二，

歇午工

放下了工作，
什麼都放下了，
他們要睡——
睡着了，
鋪一面大地，
蓋一身太陽，
頭枕着一條疏淡的樹蔭，
這個的手搭上了那個的胸膛。
一根汗毛
挑一顆輕盈的汗珠，
汗珠裏亮着坦蕩的舒服。
陽光下，鐵色的皮膚上
開一大片白花，
粗暴的鼾聲
和着呼吸的勻和。
沉睡的鉄翅蓋上了他們的心，
連個輕夢也不許傍近，
讓他們靜靜地

睡過這國人的正晌，
爬起來，抖一下，
得一身新的力量。

六・一九五三・

（以上選自「烙印」）

罪惡的黑手

一

在這都市的道旁，
劃出一塊大的空場，
在這空場的中心，
正在建一座大的教堂。

交橫的木架比蛛網還密，
像用骷髏架起的天梯，
一萬隻手，幾千顆心靈，
從白到黑在上面搏動。
這稱起是壓倒全市的一件偉工，
無妨用想像先給它繪個圖形：
「四面高牆隔絕了人間的罪惡，
裏邊的空氣是一片靜寂，
一棵草，一株樹，甚至樹上的鳥，
只是生在聖地裏也覺得驕傲。

大門頂上橫一面偉大的十字架，

街上過路的人都走在它底下，
耶穌的聖像高高在千尺之上，
看來是怎樣的偉大，慈祥！
他立在上帝與人世中間，
用無聲的話傳達主的教訓：
「奴隸們，什麼都應該忍受，
餓死了也要低着頭，
誰給你的左腮貼上耳光，
頂好連右腮也給送上，
忍辱原是至高的美德，
連心上也不許存一絲反抗！
人間的是非肉眼那能看清？
死過之後主自有公平的判定。」

早晨的太陽先掠過這聖像，
從貴人的高樓再落到窮漢的屋上，
黃昏後，這四周嚴肅得叫人害怕，
神堂的影子像個魔鬼倒在地下。

早晨的鐘聲像個神咒，
（這鐘聲不同別處的鐘聲。
走來一群雜色人等，
男女教士們走在前面，

黑色的頭巾佩着長衫，
微風吹着頭巾飄蕩，
彷彿罪惡在光天之下飛揚。
後面逐着些漂亮男子，
肥白的臉皮上掛着油絲，
脚步輕趨着，低頭交語，
用心做了一臉肅穆。
還有一隊女人綴在後邊，
脂粉的香氣散滿了庭院，
一個用長臂挽着別個，
像一個花圈套一個花圈。

陽光像是主的愛，照着這羣人，
也照着他們脚下的石階，
鐘聲一陣暴雨的急響，
送他們進了神聖的教堂。

中間有的是剛放下了屠刀，
手上還留着血的腥臭；
有的是因爲失掉了愛情，
來到這兒求些安寧；
有的在現世享福還嫌不夠，
爲來世的榮華到此苦修；

有的是宇宙傷了他多情的心，
來對耶穌慰藉心神；
有的用過來眼看破了人生，
來求心上刹那的眞誠；
有的不是來爲了求想，
不過爲追逐一個少女。
雖是這些心的顏色全然異樣，
然而他們統統跪下了，朝着上方。

牧師登在台上像威權臨着這羣衆，
用靈巧的嘴，
用靈巧的手勢，
講着教義像講着眞理。
他叫人好好管束自己，
不要叫心做了叛逆，
他怕這空說沒有力量，
又引了威森懲勸的舊例。

每次飯前還沒觸着口，
感謝的歌聲先顫在咽喉，
每晚上在上床之前，
先用祈禱來做個檢點，
這功課在各人心上對了板，

45

他們做來却無𨺗新鮮。」

二

然而這一切，一切未來的繁華，
與臉前這一羣工人無干，
他們在一條辛苦的鐵鞭下，
只忙着去趕契約上的期間。

有的在幾千尺之上投下隻黑影，
冒着可怕的一低頭的暈眩，
石灰的白霧迷了人形，
泥巴給人塗一身黑點，
鐵錘下的火花像慧星向人掃射，
風挾着木屑直往鼻眼裏攢。

這裏終天奏着狂暴的音樂：
人聲的叫喊，軋軋的起重機，
你聽，這是多麼高亢的歌！
大鋸在木樁上奏着提琴，
節奏的鐵砧扣着拍子，
這羣工人在這極度的狂樂裏，
活動着，手應着心，也極度的興奮。

有的把巧思運入一方石條的花紋，

46

有的持一塊木片仔細的端詳，
有的把手底的磚塊飛上半空，
有的用罪惡的黑手捏成耶穌慈悲的模樣。

這羣人從早晨背起太陽，
一天的汗雨洩盡了力量；
平地上，一萬盞燈火閃着黃昏，
燈光上喘息着累倒了的心。

他們用土語放浪的調笑，
雜一些低級的詼諧來解疲勞，
各人口中抽一縷長煙，
煙絲中雜着深味的鄉談，
那是家鄉場圃上閒消夏夜的，
永不嫌俗，一遍兩遍，不怕一萬遍，
於今在都市中他們也談起來了，
談起也想起了各人的家園。
他們一點也不明白為什麼要蓋這教堂，
却驚歎外洋人真是有錢，
同時也覺得說不出的感激，
有了這建築他們才有了飯碗。
（雖然不像是為了吃飯才工作，
倒是像為了工作才吃飯。）

這大建築把這大衆從天邊撿在一起，
陌生的全變成親熱的兄弟，
白天忙碌緊據在各人的心中，
沒有閒暇去做思鄉的夢，
黑夜的沈睡如同快活的死，
早晨醒來個奴隸的身子。
是什麼造化，誰作的主、
生下他們來爲了吃苦？
太陽的烤炙，風雨的浸淋，
鐵色的身上生起片片的黑雲，
機器的凶猛，鐵石的壓軋，
誰的體軀是金鋼鑄成？
室家的累贅，病魔的侵襲，
苦澀中模糊了黑色的四季，
一陣頭暈，或一點不小心、
墜下半空成一攤肉泥，
這眞算不了什麼希奇，
生死文書上勾去個名字；
然而他們什麼都不抱怨，
只希望這工程的日期延長到無限。

三

不過天下的事誰敢保定準？

今日的教堂也許是昔日的忠心，
誰料定大海上那刹起風暴？
萬年的古井也說不定會湧起波濤！
等這羣罪人餓瞎了眼睛，
認不出上帝也認不清「真理」，
狂烈的叫囂如同沸水，
像地獄裏奔出來一羣魔鬼，
用蠻橫的手撕碎了萬年的積卷，
來一個無理性的反叛！
那時，這教堂會變成他們的食堂或臥室，
他們創造了它終於爲了自己。
那時這兒也有歌聲，
不是靜謐，不是耶穌的贊頌，
那是一種狂暴的嘈嚷，
太陽落到了罪人的頭上。

九月五日晚夜寫强半，六日完成。

二二年於青島。

壯士心

江巷的夜和著青燈殘了，
壯士的夢正燦爛的開花，
枕著一卷兵書，一支劍，
燈光閃出了一縷白髮。

突然睜大了眼睛，戰鼓在催他，
（深殿裏木魚一聲又一聲）
跨出門來，星斗恰似當年，
鐵衣上響著蘆花的朔風。
前面分明是萬馬奔騰，
他舉起劍來嘶喊了一聲，
從此不見壯士歸來，
門前的江潮夜夜澎湃。

二十三年一月十一日於青島。

元　　宵

天上一個好月亮，
沒有風，什麼都很平靜，
家家門前的燈光
也亮得很靜，
徹夜的爆竹，把爆散的歡心開花到天上。

今夜，這樣枯瘠的鄉村，
多少兒童
手把住大門，
驚醒了一條黑巷，
大人含起感傷的眼睛，
一片繁華在臉前浮蕩。

二十三年元宵後數日於青島。

51

村　夜

太陽剛落，
大人用恐怖的故事
把孩子關進了被窩，
（那個小心正夢想着
外面朦朧的樹影
和無邊的明月）
再燃小丁燈，
強撐住萬斤的眼皮，
把心和耳朵連起，
機警的聽狗的動靜。

二三年三月二二日於[illegible]。

[illegible]

答客問

我才從鄉村裏來，
這用不到我說一句話，
你只須望一望我的臉，
我向着我的衣襟嗅一下。
我很地道的知道那裏的一切，
什麼都知道，
像一個孩子知道母親一樣，
他清楚她身上的那根汗毛長。
你要問什麼？
問清明時節紛紛細雨中
長堤上那一行煙柳的濛濛？
還是夕陽下，春風裏，
女墻映着桃花紅？
問炎夏山澗沁出的清涼，
黃昏朦朧中蝙蝠傍着古寺飛翔？
還問什麼？
問秋山的霧，
秋風裏秋蟲的悲鳴，

續

綿延大野上殘照的凄涼？
我知道你要問冬夜裏那八遍鷄聲，
一個老嫗搖着紡車守一盞昏黃的小燈。
你要問這，這我全熟習，
可是我要告訴你的是另外的一些事。
你聽了不要驚惶，也無須歎氣，
那顯得你是多麼無知。
我告訴你，鄉村的莊稼人
現在正緊緊腰帶捱着春深，
他們並不曾放鬆自家，
風裏雨裏把身子埋在坡下，
他們仍然撒種到大地裏，
可是已不似往常撒種也撒下希望，
單就吒牛的聲音，
你就可以聽出一個無勁的心！
他們工作，不再是唱嘔嘔的高興，
解疲勞的煙縷上也冒不出輕鬆，
這可怪不得他們，一條身子逐着日月轉，
到頭來，三條腸子空着一條半！
八十老嫗口中的故事，
已不是古代的英雄而是他們自己，
她說親眼見過長毛作反，
可是這樣的年頭真頭一回見！

眼看五穀換不出錢來，
不是鬧兵就是鬧水災，
太陽一落就來了心驚，
頭側在枕上直聽到五更，
飢荒像一陣暴烈的雨滴，
打得人心抬不起頭來，
頭頂的天空一樣是發青，
然而鄉村却失掉了平靜。

二三年三月二二日於相州。

生命的叫喊

高上去又跌下來，
這叫賣的呼聲——
一支音標，沈浮着，
在測量這無底的五更。

深閨無眠的心，將把這
做成詩意的幽韻？
不，這是生命的叫喊，
一聲一口血，喊碎了這夜心。

二三年四月五日於相州。

場園上的夏晚

我永不忘記太平年代的夏晚，
夏晚鄉村裏那戀人的場園。
蝙蝠翅膀下閃出了黃昏，
蛛網上斜掛着一眼熱鬧，
推開飯碗，擦一把臭汗，
大人孩子提一領蓑衣跑去了場園。
場園上沒有不快的牆垣，
風從禾稼聲中吹來，全無遮攔，
像西面的清激滾下了山岩，
各人揀好一塊地方，
坐臥那全憑自己的心願，
先來後到的一陣亂打招呼，
（從腳步上認，全用不到看臉）
時間候到了最後的一人，
一輪滿月正掛在東天。
樹影在這羣人身上亂播，
掃淨了一切，只一縷看不見的香烟，
氤氳在人和人中間。

67

大人的臉對着天空，
心裏念着一些星名，
他們用星決定未來，
銀河絃上繫着命運，
一顆彗星偶然掃過，
給他們添了一份担心！
小孩子強支住恐怕，閉着眼，
(黑影裏沒法看那張臉！)
用拔不出來的耳朵聽紅毛的鬼怪
從大人口裏一個一個的跳出來，
直等到媽媽隔牆遙呼，
(呼聲裏帶着親愛的罵辭)
纔哀求大人送他們家去，
眼縫裏閃來了遠處的鬼火，
拚命的掣緊大人的衣角，
夜裏來一場心跳的夢，
一個紅毛鬼打一個燈籠。
夜在場園上飛，人却不知覺，
不知覺的淡盡了天上的星月，
陽光撥開了隔夜的眼睛，
爬起來，只覺得一身露重。

二三年七月五日。村夜恐怖不敢眠，對閃動的燈火成此。 (以上選自「郵遞的緘乎」)

月

哀號拖過了每家門口，
今宵哀號也叫不出人來，
大門裏各人緊鎖着暖秋，
臉像寒花一齊朝着明月開。

西風送他，亮月送他，
送他踏上了古剎的石階，
不叫一絲淸光拖住衣襬，抖一下，
他閃進了一座陰森的神台。

二三，中秋。

運　河

我立脚在這古城的一列殘堞上
打量着紺黃的你這一段腰身，
夕陽這時候來得正好，
用一萬隻柔手攬住了波心。
在這裏，我再沒法按住驚奇，
古怪的疑問絞得我心癢！
是誰的手劈開了洪濛，
把日月星辰點亮在長空？
是怎樣一個嬴姓的皇帝，
一口氣吹起了萬里長城？
天女拔一根金釵，
順手畫成了天河；
端陽的五絲沾了雨水，
會變一條神龍興波，
這是天上的事，誰也不敢說，
我曾用了天上的耳朵聽過。
怪的是，楊廣一個混士的人，
怎會神心一閃，

闖出了
這人間的一道天河！
你告訴我，當年多少苦力
給一道命運綑在了一起，
放着鐮刀在家裏銹住了白光，
纸邊的亂草遮住了白地，
寒天裏妻子沒處寄征衣，
一個家分掛在天的兩極。
孩提學話只喔喚着媽媽，
人間成了個無父的天地！
天上的烏鵲一年忙一個七夕，
這地上的工程是沒頭的日子！
晴天裏鐵鍬閃起了電火，
一串鐵鎚爆響在心窩。
硬鐵磨薄了手掌，
磨白了頭髮，
磨亮了眼睛
也望不到家。
累死了的；隨着土雨實入了大堤，
活着的，夜夜夢見土坑陷落三尺！
辛酸的眼淚，兩地的哀號，
終於興起了萬里波濤，
波濤老是掀着濁黃，

是當年的寃憤至今未消？
兩道大堤使你晃不開雙肩，
然而星星也沒法測你的高深。
像一條吟龍
貫過了兩個世界，
頭枕着江南四季的芳春，
尾擺着燕地冰天的風雲。
聽說你載着乾隆下過江南，
一陣小雨留下了不死的流傳，
你看背後夕陽的顏色正紅，
就在「沙邱古渡」的歇馬亭。（註一）
幾幾白魚傍着龍舟打了個挺，
一座龍王廟騰起了半空，
這地方，水勢至今打着旋花，
一個鐵窗戶像一隻死眼，
瞧得舟子捧着心怕！
誰知道，人間的蘇杭，
你馱過紅心的天子曾去沈醉，
彷彿八駿馱着古帝王
去西天的瑤池會王母一樣。
南國的荔枝帶着綠葉，

註一：乾隆下江南，避雨於此。

一陣輕風吹到了宮掖，
得寵的御女滿口香甜，
誰說天涯不就在眼前！
江干的玉女流入了宮庭，
四壁黃牆已非人寰，
竭盡了海內所有的珍奇，
變成一個花枝的身子。
你也一定還過連船的天兵四方去遠征，
金甲耀得河水發明，
回頭來，連船雖然減少了長度，
然而船面上却添了凱旋的歌聲。
我想，如果你也有一張口，
肚子裏的話會爆斷喉頭，
城圈攬住你
又放開你，
這一裏一外的歲月
誰能計算清？
長毛大殺水旱十三門
人頭在河裏滾，
萬人塚上的草色至今還發紅！（註二）

註二：長毛之亂，臨清城被洗，殭屍遍野，萬
人塚纍纍，至今塚邊草作紅色。

68

一道城牆向三十里外展開，
於今，只留些殘破給夕陽徘徊，
河岸上見不到詩人的遺跡，
有一座荒碑告訴他的故里。(註三)
你的呼吸把一切吹空，
你却健在着做一切的證明。
我眼前河面上桅桿一林，
破帆上帶着風雨，帶着驚心，
我常見一條繩索
串着岸上的一個人羣，
一齊向後蹬開岸崖，
口裏擠出來聲聲欸乃，
一聲欸乃落一千滴汗，
船身似乎不願意動彈，
一個肉肩抵一支篙，像在決負勝。
船載多重，生活的分兩多重！
黑夜裏空中失沒了星斗，
一點燈火牽着船走，
黃昏的霧，涼宵的風，
風雨也阻不住預定的途程，

註三：河東岸有「謝茂秦故里」石碑，按謝名榛，明臨人。

來往的風帆這樣飄著日夜，
我看見舟子的臉上老擺不開愁容
運河，你這個一身風霜的老人，
盛衰在你眼底像一陣風，
你知道天陰，知道天晴，
天人的豪華
奴隸的辛苦你更是分明，
在這黃昏侵臨的時候，
立在這廢堤上
容我問你一句，
我問你：
明天早晨是那向的風？

二四、一、卅一日于臨清。

元 旦

一夜抖淨了一萬重陳霾，
太陽磨亮了黑鏽的人生，
這一個交關扭轉得太急，
人臉上換不及黯然的笑靨。

一杯春酒送到了唇邊，
讓你吮咂着味兒的酸甜，
這一天的日子你得享受，
誰也不許放起憂愁。

二四年舊元旦。

古城的春天

眼前掛上了昏黃的風圈，
沙石的盤旋晃得人發眩，
縱然殘堞偷來了綠色，
三尺以內望不到春天。

叢叢的荒塚
是朵朵黃花，
簪在這古城
霜白的鬢邊。
城根下的古槐空透了心。
用一枝綠手，摑醒了城下的土人，
走出門來望一望鋼板的地，
咨歎聲：「一犂春雨一犂金。」

二四、三月，廿六日。

[illegible]

依舊是春天

什麼也沒有過的一樣。
——萬條太陽的金輻
撐起了一把天藍傘，
悄又靜的
籠上了人間的春天。

什麼也沒有過的一樣。
看春水那份柔情，
柳條綠成了鞭，
東風譜下了燕子的歌，
碧草依舊綠到遠邊。

一九三六，四，廿日

心的連環

學生即將畢業散去，余復先行，賦此贈別

我像粒帶翅的種子，
被吹到這沙漠叢中，
我的家遠掛東海邊上，
奇怪這一陣神秘的風。

孩子，多謝你們的眼睛像太陽，
給了我溫暖也給了光，
你們的笑——
無端的東風成陣，
淚也是可以感謝的，
淚是黃金的甘霖。
這古城不再是一片磽确，
我的感情攤開了長臺，
好比萬人塚上的黃土，(註)
春風給它掛一身紅綠。

註解：萬人塚在臨潼城北門外。

時光滌淨了各人的心胸，
一潭清水澈底的光明，
心和心套起了漣漪，
鳳絲牽連環蕩東蕩西。

教室是我們溫暖的家，
在裏邊種下了根深的記憶，
說不定別後這一條長絲，
給你牽來個風晨雨夕。
我怕今生學不來做飾，
天生叫我做一世孩子，
可喜你們沒拿我當先生，
都把我認做一個弟兄。

二年來，給了你們一些什麼？
在臨別的這時我紅着臉想，
沒有什麼，除了一顆眞心，
還有，還有一條指路的南針。

別了，像六十顆星
閃向四方，難以想：
幾時再可以一齊掛在
這塊醉粹的天上？

孩子 我願你們永遠恨我，
恨我臨去不告別一聲！

一九三六，五月末。

（以上選自「運河」）

溫柔的遊旅

汪，汪，汪　一陣子
拍驚了小家子狗，
反身掩好大門，
退後幾步隔牆遙呼個人。

妹妹導我向家去：
一個門，一道影壁，
幾間茅草新屋，
排成一座八陣圖。
這個沒有錯樣：
「徐」裏噌噌着豬，
院子裏倉囤凸起小圓肚，
還有禿腚的雛雞，
咯咯地在地上像行旋。

一進門，
鍋灶把守在兩邊，
像在角門，

口裏噴出憤怒的火焰。

屋裏的擺設也沒有變：
污穢，飽滿，亂糟，
猛然間，
一雙眼沒處安插。
娘娘從坡下回來，（註一）
乾天打着雨天的傘，
兒子犯了走馬星，孫子還太小，
不放心地裏的黃金，她親自去「看邊。」（註二）

娘娘跨上了炕緣，
煙袋鍋扣得磚地響，
我搶着拾起了洋火，
把一點溫暖點在她心上。

「唉，老天眞待和窮人到命，
豆子沒收，麥子又五成，
等着看挨餓的大吧，
有糧的怕也吃不安生！」
娘娘接着罵起「把頭」，（註三）

註一：母親之鄉稱
註二：看着收穫，免被人偷竊。

93

今天價高為什麼叫短工？
娘娘又罵別人是搶命鬼，
「麥子還沒掉頭，何苦死和我爭！」
老人家的臉立刻陰了天
反身去了，像一個旋風。

當門的小牀上坐下了妹妹和我，
嘮漫腔播散着陳穀爛芝麻，（註四）
話頭是春風又是秋霖，
一句一句生殺了多少人！
（滿街雨生孩子，（註五）
重複着我兒時的遊戲，
老年的親故都無風的落了——
一個一個爛熟的果子。）
話斷了頭，我仰一仰臉，
短牆給割來了「馬耳」的雙尖。（註六）

晚上帶着太陽吃飯，

註三：長工。

註四：瑣碎的舊事。

註五：猶雨後花草，不注意而生。

註六：馬耳山在縣城之南四五十里，雙尖似馬耳。

飯菜配着我當年的口味
「吃吧，吃吧，」娘娘妹妹連起聲讓，
把我當成一個客人。
(讓我，她們全不動筷子，
貧難成事，却把雞蛋看做寶石！)

飯後急急催我外邊去借宿，
一家人不能共一個黃昏！
生命一時失了保障，
當你的生命入了鄉村。
白天娘娘不准我出門，
說是提防人眼太凶，
(坡下的麥子正流着黃金！)
一絲絲娘娘擇我「快滾」，(註七)
我簡直成了一座連城。

夜裏不敢放胆睡去，
打水的「梢桶」陣陣叮咚，
這孤村的五十家不光愁吃，
一瓢水也得半夜裏爭。

三天上我向娘娘告別，

註七：親熱的罵詞。

家，不過是一個溫柔的逆旅

永脫不下芒履，我這個托鉢僧，

到處乞求一個溫飽，一縷光明，

廿五年末或廿六年初

刑　　場

背起一道古城牆，
做面陰森的屏障，
臉前安排好一行衰柳
去擋住夕陽。

橫列的墳墓，
穿一身草黃，
親近得像弟兄，
彼此挽着臂膀。
過清明，過中元，
墳前不見一片紙錢，
不曾有人來此憑弔，
朝夕鴉啅鬧翻了天。

黑夜落下柳岸的池塘，
螢火引鬼兒去話淒涼，
一肚子逆氣永不消散，
破嗓齊喊「再過二十年！」

二六、一月十五日。

年關雪

雪給青麥
蓋厚被一身，
把豐年的禮帖寫給了農人，
雪迷了蛛網似的路綫，
他鄉的客子歎起行路難。

雪，壓弱了窮人屋頂的炊煙，
撒一道攔門的白灰，（註）
放鬆債人一絲心寬；
門前踏亂了要賬人的脚印，
雪也鎖不緊要命的年關。

廿六年、一、二七。

（以上三篇發表于戰前「文學」，未收入集子）

註：流俗以攔門灰可以攔鬼。

偉大的交響

我永遠不能遺忘，
不能遺忘，
當我們的列車
停留在
鄭州站東
不遠的一個地方，
黃昏已撒下朦朧的黑網，
大地上一片冷的雪光。
那兒飛來的歌聲
碰得我們的耳朵做響？
那聲音叫玻璃窗縫
擠得低弱而渺茫。
我們的男女歌手
聽了歌聲喉嚨便發癢，
我們飛出了車廂，
兩條腿像一雙翅膀。
我們把緊鐵欄
身子探出老長，

79

聽出了
那是救亡的歌，
清脆，激昂，
公安局門口
一羣小孩子在唱。
他們的小嘴
叫開了一個個車窗，
歌聲
像火把，
燃燒着
每個聽衆的胸膛，
一列頭顱探出了窗外，
一千張大嘴一閉一張。
救亡們洪流
搖撼得地動，
救亡的洪流
激盪得人心痛，
救亡的洪流
溫暖了三九的嚴冬。
你一個電筒，
我一個電筒，
給公安局門前的黑影，
穿上了無數光明的窟窿。

我們招手，
我們呼喊，
歌聲把孩子們
拖到了我們跟前。
他們不停的唱，
我們不停的唱，
旁觀的老幼
不再徬徨，
過路的人們，
也停下步子，
放開了粗腔，
救亡的情感像潮水，
使大家變成了瘋狂。
這聲音，比敵人的炸彈更響，
這聲音，像爆裂的火山一樣，
這救亡的歌聲將響徹全國，
掛在每個中國人的嘴上。
誰敢說堂堂的中華會滅亡？
盲目才辨不清前面的明光，
倭奴的壽命不會久長，
請看看臉前這偉大的力量！
我們唱「松花江上」，
多少人想起了自己

已經失去的美麗的故鄉；
我們唱「大刀進行曲」，
「衝呵，衝呵」，連珠殺聲，
彿彷敵人的頭顱
落在我們臉前的地上！
我們唱「義勇軍進行曲」，
我們也變成了一員戰將。
指揮者的手勢
像激流中的雙槳，
大家口中的音流
是狂風暴雨的合奏。
我們唱，
大家一個口，一個心，一個聲響，
我們唱，
悲壯的熱淚
衝出了眼眶，
我們唱，
電筒像我們的舌頭
舐在每個孩子的臉上。
他們的臉
體著汗霧，
他們的臉
放射出興奮的紅光。

他們的血
爲祖國在澎湃，
從他們的臉上
可以去辨認黃帝的模樣。
他們更走近了一步，
近到這樣，
我們的手
可以撫到他們的頭上。
「我們的爸爸是工人，
我們的學校屬豫豐紗廠，
先生，請開好你們的住處，
幾時來約我們打鬼子去」？

「打倒日本帝國主義」！
一個孩子鼓粗了脖子狂喊，
「打倒日本帝國主義」！
大家的反響霹靂震天！
列車動了，
拖著一廂救亡的熱情，
孩子們逐著車趕，
小手舉向天空；
列車的快步
丟下了我們的孩子

只聽見他們的歌聲
一團火的救亡熱情
這一團火的救亡熱情。

二十七年

別潢川

——贈青年戰友們

去了，我馱起
悲壯的感情，
它過重的分兩
壓得我心痛，
臨去我回頭望一望「沙河」，
水浪曳動著輕舟，
三五匹戰馬
在飲著清流。
河水它會永遠記得
記得我投給它的眼波，
記得救亡歌聲
給它的激動。
白金粒的沙灘，
像一個靜的夢境，
上面印著我們的脚印
和武裝的身影。
殘破的城垣，

鄉少吹我坐在上崗，
一片原野引我的心
到戰場，
到故鄉，
到遙遙遙遠我所系念的地方。
我的感情染上了鵝黃的柳條，
染上了萌動的小草，
同著春色
染遍了無際的青郊。
五千年青人
失去了家園，
五千個胸膛裏
掛一副鉄的肝膽，
爲了祖國，
把生活浸在苦辛中，
爲了抗戰，
甘願把身子供作犧牲。
女的是姊妹，
男的是弟兄。
立脚在一條戰線上，
我們一點也不陌生。
我要去了，
到漠漠的西北去看風沙，

去認識一個新的世界，
使自己的生命重新萌芽。
也許會到戰場上去
面對血肉的現實。
叫自己的心
受炮火的洗禮。
戰神一手
把人間的關係攪亂，
待將來，
再給一個新的安排。
贈別不用眼淚，
我們都還年青，
一齊挺起腰來
去拉大時代的纖繩。
將來再碰到時，
用歡喜的淚
去慶祖國的新生，
無妨用長長的話頭
細數個人
那一段苦鬥的歷程。

廿七年三月底於瀘川

兵車向前方開

衝破黑夜，
又離去白日，
赴敵千里外，
挾一天風沙，
兵車向前方開。

兵車向前方開。
砲口在笑，
壯士在高歌，
風蕭蕭，
旗影在風裏飄。

廿七年四月廿三日於赴漢車中。

（以上題爲「從軍行」）

匕首頌

——圖魯夫

匕首一柄，
三寸長，
鐵的鞘子
涵著冷光。

你撫摩著它笑，
像撫摩著自己的心愛，
它是一個雄心，
在沈默中等待！
你枕着它睡，
枕着它做夢，
夢裏的天空，
架起來一道長虹。

它在飢餓中哭泣，
它需要紅的血水，
它要試一下自己的鋒銳，
當敵人在五步以內．

（以上選自「泥濘集」）

89

淚珠、汗珠、珍珠

苦的淚珠，
鹹的汗珠，
不想它
來世變珍珠；
讓臭汗
滴到泥土裏去，
泥土給人顆顆穀粒，
讓淚珠
滴進碗底吧，
好和淚一併吞下。

手 的 巨 人

農民——
手的巨人，
我有一支歌
歌唱你的命運。
你的嘴，
笨拙得可憐，
說句話
比鑄造還難，
你的臉上，
有泥土，
有風雲，
直泅到生命的海底，
你的心！
誰說生路窄？
你有硬的手掌，
命運是鐵，
身子是鋼。
你的眼睛，

那一鏡小明鏡，
叫每個「高貴」的人
去認識他的原形。

悔

鄉村
是我的窩，
我不否認人家說
我對它的偏愛。
我愛那：
紅的心，
黑的臉，
連他們身上的瘡疤
我也喜歡。
都市的高樓
使我失眠，
在麥稭香裏，
在豆稭香裏，
在馬糞香裏，
一塊光地
我睡得又穩又甜。
奇怪嗎？
我屬間：

續

「世界上的孩子

那個不愛他的母親」？

反抗的手

上帝
給了卑賤的人
一張口；
給了奴婢
一個軟的膝頭；
給了拿破崙
一柄劍；
同時，
也給了奴隸們
一雙反抗們手。

窮

屋子裏
找不到隔宿的糧，
鍋，
空着胃，
亂竄的老鼠
餓得發慌；
主人不在家，
門上打把鎖
門外的西風
賽虎狼。

型

老屋，
禿了頂，
再也受不住風雨的吹打，
看上去叫人發愁——
那屋頂上開着的
灰色植物的慘白小花。
屋子裏的主人
也是一樣，
只有冷空氣他不缺乏，
看疾病貧困的刀鋒
把他刻成怎樣一個人「型」！

32

三　代

孩子
在土裏洗澡；
爸爸
在土裏流汗；
爺爺
在土裏葬埋。

鞭　子

毛驢子的鐵鞋
已經磨光，
背上壓着的布袋
一步比一步有分兩！
主人打着赤脚，
不放鬆的緊趕，
彷彿他的「主人」，
在身後，
手裏持着同樣的皮鞭。

送軍麥

軍麥，孩子一樣，
一包一包
擠壓着身子，
和衣睡在露天的牛車上。
牛，咀昧着草香，
頸下的鈴鐺
搖得黃昏響。
燎火一閃一閃，
閃出夢詩的的迷茫，
這是農人們
以青天作帳幕，
在長途的野站裏
晚炊的火光。

家　　書

一個陌生的客人
來扣門，
惹得雞呼狗咬
一大陣，
郵差背着他的綠包
走了，
他投下了
一封遠方的信。
信皮上寫着
寄自什麼地方，
他們認不得，
信瓣裏寫着些什麼話，
他們認不得，
掐撚着手指
數算他從軍的年月，
緊緊的把握着信，
像把握着一個靈魂。
最後，邀來人拿着信，

311

後邊跟着老婆孩子一大羣，」
他們連跑帶嚷的
去找「王大先生」，
他是這莊裏的一個「聖人」。

他回來了

哥哥請假回來看家，
家裏的人
放下了那條懸掛的心，
自從出了門
沒有消息回來，
今天，他的身子
是幾年來寄到的
第一封「家信」。
他的口——
一條小河，
淙淙的流，
母親坐在紡花車旁
像坐在夢中，
弟弟剛從坡下抽回身，
鋤桿躺在懷裏；
大家靜聽着他，
像靜聽着
請人替自己讀一封「家信」。

103

小戰爭

在大人空隙裏穿梭，
歡喜而又畏怯的
用一隻好奇的小手
向爸爸腰間的短槍偸摸。
他的女人，
臉上燒着火，
在別人不留意的時候，
在他周身溜眼波。

眼睛和耳朵

我的眼睛
能從晚照裏
看出第二天的陰晴，

我聽得出，
那種鳥兒
能喚來雨，
呼來風。

「布穀」一開口
叫農人下坡，
天河一彎彎
就叭新米「乾飯」，

紡織娘叫，
紡花車就轉，
蟋蟀唧唧一聲，
跟着來個秋天……
在洋場裏
我是枯魚一條，

105

在鄉村，

你說那一樣的我不知道？

[illegible]

沈　默

青山不說話，
我也沉默，
時間停了脚，
我們只是相對。
我把眼波
投給流水，
流水把眼波
投給我，
紅了眼睛的夕陽，
你不要把這祕密說破。

詩　葉

白楊，
搖擺綠的手掌，
靈感抖動翅膀；
蕭蕭作聲浪，
萬片詩葉
在半空裏發狂。

靜

一只白鴿
在半空裏畫圈，
天，
更大，
更藍；
一隻蒼蠅
擾人睡夢，
六月天的白晝
更長，
更靜。

生的畫圖

一隻老黃牛
擧步向前，
一隻手把犂
跟在後邊，
新土翻起浪，
放香，
同孩子作伴，
小狗在地頭上躺，
烏鴉跟起犂
慢擺着翅膀，
一回又落在牛的背上。

遙　　望

你莊穆宏斗
像一個詩人，
弓着腰向西天遙望，
夕陽把殘照
留在一片樹梢上。
他，彷彿在默想，
想什麼？
當年胯下的竹馬，
變成了今天的手杖。

死　水

一灣綠水
發了霉，
太陽，
在水皮上蒸發起
小的膿瘡
男人
在水邊飲牛，
婦女
排在灣崖上
洗衣裳，
白鵝
在水上划船，
孩子們，
沈下去
又浮上來，
這一灣死水，
有了笑，
也有了光。

暴　　雨

蜻蜓
在半空佈陣，
婦女喚雞聲
叫響了莊村，
一陣「雲腳」，(註一)
「龍」掉下條尾巴，(註二)
一個沉雷，
天上踏下來
暴雨的腳。

註一：暴雨要來時的一種雲層
註二：雲狀

秋

天，
升高了，
撒下白霧與寒霜。
太陽，這個慷慨的施與者，
它向世界大量撒黃金，
大野
像一顆寂的心，
安慰它的，
是「高粱園」，
是一兩蟋蟀，
是搖着身子的枯草，
是「拉大筥」的窮人。

114

寒冷的花

冬來了，
寒冷開出
北地的花。
風，
作獅子的吼叫，
爪子撕裂着大地，
沙士揚起了，
攪成一團迷魂陣。
雪大，
把窮人趕到了「地屋子」裏去
用一面草「擋子」
把嚴寒擋在外邊。
他們在裏邊打草鞋，
閒談，
向一把草，
向多數人呼吸的一點熱氣
取暖。
一樣的冬天，

115

有的人把饑餓的景色

當畫看；

有的人，

「[illegible]褲子」出不得門，

蜷縮在炕頭上，

聽肚子裏飢餓的小曲，

聽自己的上下牙齒作戰。

春　　　鳥

當我帶着夢裏的心跳，
睜大發狂的眼睛，
把黎明叫到了我的窗紙上——
你真理一樣的歌聲。
我嘆一口長氣，
揩一下心胸，
從牀上的惡夢
走進了地上的惡夢。
歌聲，
像繁密天上的星星，
越聽越燦爛，
像若干隻女神的手
一齊按着生命的鍵。
美妙的音流
從綠樹的雲間，
從藍天的海上，
匯成了活潑自由的一潭。
我應該放開嗓子

歌唱自己的季節，
歌聲的警鐘
把宇宙
從冬眠的牀上叫醒，
寒冷被踏死了，
到處是東風的腳踪。
你的口
歌向青山，
青山添了嫵媚；
你的口
歌向流水，
流水野孩子一般；
你的口
歌向草木，
草木開出了青春的花朵；
你的口
歌向大地，
大地的身子應聲酥輭；
蟄虫聽到你的歌聲，
揭開土被
到太陽底下去爬行；
人類聽到你的歌聲
活力衝湧得彷彿新生

而我，有着同樣早醒的一顆詩心，
還是同樣的不慣寒冷，
我也有一串生命的歌，
我想唱，像你一樣，
但是，我的喉頭上鎖着鏈子，
我的嗓子在痛苦的發癢。

五月廿二晨于高島驛中

墳

一生的辛苦
把身子按倒，
他開墾過的草阡上
隆了一堆黃土。
墳，
像他的爲人，
寒傖，謙卑，
搖着幾顆白草，
捲在西風的懷裏。
活着的時節
工作在田地裏，
死後，他在替兒孫
看守着這田地。
黃昏擁過來，
他要破土而出，
拉住個人
談談心。

社　　戲

開場鑼

敲得人心慌，

孩子的手

把大人的飯碗摔掉

他不管你吃飽沒吃飽。

壓箱底的花衣裳，

一年難得見它一次面，

今晚上，它給了孩子個光彩，

不管別人看見還不見。

明月把曠野

注成海洋，

遠近的話聲——

一浮一沉的浪。

木梆子報過三更了，

這裏那裏的敲門聲。

敲出了狗的狂吠，

敲碎了別人的夢。

孩子，

睡在大人的肩上，
板凳，
睡在大人的肩上，
他們回來了——
帶着星光，
帶着燈光，
帶着燈光底下
那一片情景，
帶着爲劇中人
流出的淚花和笑影，
帶着這一些，
一直帶到夢中。

（[illegible]選[illegible]自「泥土的歌」）

國旗飄在鴉雀尖

二寸照片
留下了一角大別山，
留下了大別山的頂峯——
挺秀的雅雀尖。
三個人影簇擁在山巔，
一張地圖牽着六隻眼，
身邊的草木在風前低頭，
一面國旗飄起了霄天。
樹影籠着十個士兵，
深草吞沒了半截腿脛，
刺刀冷亮，鋼盔烏青，
瞪着一雙雙決死的眼睛。
這一張平凡的照片，
包藏的故事可不平凡，
追溯這個故事的誕生，
要把時光倒流上兩年。
那時候，正在保衛大武漢，
那時候，正血戰在大別山，

那時候，這一支常勝的鐵軍奉令把這天險——雅雀尖、
他們戰過台兒莊，
他們戰過娘子關，
他們戰過琉璃河，
於今又來戰大別山。
雅雀尖鎖着商麻公路，
雅雀尖鎖着武漢外圍的門戶，
正可以作個尺子，用它的高，
去量它在軍事上的重要。
這一師：兩個旅，三個團，
用機槍，用大砲，
用血肉，用勇敢，
作了它鐵的防衛線。
在敵人的砲彈下，
斗大的石頭飛上天，
在敵人的炮彈下，
人馬紛紛的滾下了山巔，
多少弟兄昏倒在地下，
毒氣在山上散做雲霧。
下了葉家集，
下了商城，
荻洲師團，

憑一股銳氣要攻下這天險；
一道嚴峻的命令
下給這一師人，
死，也要守住雅雀尖！
戰況到了緊張的高度，
指揮所從山腰移上了山巔，
還表示了一個決心，
像一張弓把絃拉滿。
向着一張地圖瀝心血，
師長同他的參謀人員，
一問他又立起身來，
望遠鏡中把眼光射遠，
電話鈴聲叫他說話，
一個團長向他求援，
他說陣地已經動搖，
一團弟兄戰死了一半，
「士兵死了，排連長上去，
排連長死了，營長去填，
看準你的錶，兩個鐘頭
我把援兵送到你的跟前。
沒有兵力給他增援，
給他送去的是國旗一面，
另外附了一個命令，

那是悲痛的祭文一篇：
「有陣地，有你，
陣地陷落，你要死！
錦繡的國旗一面，
還是軍人最光榮的金棺。」
這時候，砲火密得分不開響聲，
炮彈落在他左邊右邊，
驚飛的石子像雨點，
紛紛打在他的身間，
槍彈穿響了頭頂的樹葉，
敵兵已經衝到了山前，
特務連裏十個決死隊，
一個命令跑下了山，
他用完了所有的兵，
而且，把他們放在必死的當中，
頭頂上懸起了同樣的國旗，
他從容的在聽候着電話的鈴聲。

附記：大別山戰役，××師奉令扼守雅雀尖，團長黃樵松氏，預作國旗六面，（二旅長，三團長，另外一面是他自己的）在戰局危急時，即以國旗分贈，示不成功則成仁的決心。雅雀尖陣將衝上時，師長令敢死隊十人衝下山頭後，即於樹巔將國旗懸起，預備作壯烈之犧牲，[illegible]死地後生，諸人幾不得過。當時在雛雀尖留有二寸照片，至今猶存，致死難十名，生還者七人，讀稱以「雛僧尖七勇士」呼之。

二九年一月

嗚咽的雲烟

像一隻候鳥
馱一面冰天，
鵬起翅膀
飛向溫暖——
你的書信
沉浮了兩個季候，
當戰地桃花在風前敗障，
它才飛到了我的眼前。
是一滴淚水
泛濫了紅的堤岸？
看蹂躪不堪的信皮上
一片嗚咽的雲烟。
我向山海關那邊
投一個遙念：
你的心在抖，
手在戰，
不是這麼說嗎？
當你拔開筆管，

[illegible]

窗外的狂風正伴隨着雪片。
陰慘封閉着人心，
堅冰給白水加一條鎖鍊。
但是嚴冬不會長久，
春天就在它的後面。
一萬句話
來礙你的筆尖；
千鈞之力
壓住了手腕，
幾次放下筆
又拾起筆，
在紙面上
寫下了二字「平安」。

柳蔭下

幾株垂柳
鋪好了一地蔭涼，
八九匹戰馬
拴在柳腰上。
馳騁過疆場的鐵蹄
閒敲着午睡的大地，
陽光點了它一身銀花，
尾巴驅打着逗它的蠅子。
木鞍弓着腰
做閒散的夢，
有一種
卸却了責任的輕鬆。
（彈藥卸在前綫，
它們又回程。）
槍身
靠在樹身上，
彷彿找到了
一個愜意的依傍，

一個人一個式樣：
額上生薄汗，
口水像饞涎，
甜睡在光地上，
像倚着母親的胸膛；
有的解開衣裝，
去接受柳扇搖來的清風，
看白雲在天邊遊走，
聽悠揚的蟬聲。
有兩個對坐着聊天，
每人口裏啣一支煙，
話，多半天沒有一句，
一支煙却吸它個多半天。
「公園裏今晚放演『台兒莊』。」
一位老鄉作了個義務宣傳，
「老王，咱們也去看它一眼，」
說了這句話，臉色却很平淡。
（那個場面在心頭一閃）
老王向他的伙伴望一望，
眼光正碰到了那顆勳章。
（光芒四射的太陽）

註：三十軍台兒莊造成光榮戰績，每人得一獎章，形如太陽，邊緣作光芒狀，中橫「台兒莊」三個銅字。

[illegible]

第一朵悲慘的花

——邵 風 原

詩人，
這兩個字，
就清楚的說破了一個命運．
一副硬骨頭，
一肚子憤懣，
一個高尚的頭腦，
一眼睛的看不慣。
身子札根在現實的泥污裏，
卻怕自己的沾白
被這污泥沾染，
把一雙靈瑰的眼
投出去，
投得比現實
更高，更遠。
向醜惡
娶美，
向庸俗

率眞，
按着眼前的醜陋
要它的反面！
以小孩子的天眞
哭着去要它們，
以飢寒者的迫切
呼號着去要它們，
以火樣的熱情
去要它們，
以死
去要它們！

這樣，詩人，
就同悲慘的命運永遠的握手了。

帶一個「不雅的尊號」，
窮愁、孤苦，
潦倒在人生的窄道，
肚皮同靈魂
一般飢荒，
他嫉恨流俗，
就同流俗嫉恨他一樣。
如是，

他流枯了淚泉，
如是，用自己的明槍
或世人的暗箭，
把沒有成熟的生命，
把冤抑，
把悲酸，
還理想，
把命運，
統統裝進了三寸黑棺，
讓詛咒和贊頌
在人們的口角上流傳，
泥土，
早把他的雙耳封嚴。

屈原——
第一朵悲慘的花
開在詩國的田園。

權威者耳朵
從來就硬，
讒諂的風
沒定向的吹；
忠言打進去

比釘子打進石頭裏去
更難！
權威者的眼睛
專找逢迎的臉，
今天，他高了興
你便得寵；
明天打下去，
那算你犯了災星。
你覺得天大的了不起，
他隨便一句話就把你決定，
他聽得太多，
他看得太多，
那有那份閒情
去分辨[illegible]和奸忠。
當寵愛的光
照臨着你，
你的手
可以發號施令，
叫抱負
開出現實的花，
叫事業
說出忠貞的話；
當權者

攻破了易變的君心，
當懷疑
頂替了信任，
你便被擠下了政治舞台，
（別人在扮演一場糊塗戲，
你在一旁做個清醒的觀衆）
擠到江邊去——
去枯槁，
去憔悴，
去呻吟；
吟出你的哀怨，愁苦，悲憤，
和耿耿的忠心！
你一條心
想佩起芬芳的香草
（香草，象徵你的人品）
到瑤池去會美人，
（你理想的化身）
叫風雲雷霆
呵護着車輪；
一條心
繫在朝廷，
掛着你又愛又恨的懷王
和千千萬萬楚國的子民。

你清楚，
在人心的天秤上
重輕倒顛，
你知道，
在社會的眼中
黑白淆亂，
你看見，
鳳凰折了翅膀，
鷄鴨飛上了天。
你清楚，
你知道，
你看見，
你却不能用一雙手
把它翻轉！
把不住自己的命運，
你帶着疑問去請教詹尹：
「尺有所短，
寸有所長」，
龜蓍回答你
一個絕望！
宇宙這麼寬闊，
却容不下你一條身子，
人生這麼深遠，

思想却沒處安放，
只得緊抱着貞潔，
去追踪彭咸，
帶一顆眷戀的心
跳下汨羅江！
生命就是這樣：
不能去碰死僵冷的社會
就得碰死在它的身上。
汨羅江水
爲詩人流了
兩千年的清淚，
到今天，上官令尹
依然在人間充沛。

無名的小屋

我不幻想
頭頂上落下一頂月桂冠，
我只希望自已的詩句
像一陣風，吹上大衆的心尖。

你知道，
我是一個野孩子來自鄉間，
染着季候色彩的大野
就是我生命的搖籃。
為了生活的壓榨
我陪同農民歎氣、
命運翻身的日子
我也分得一份喜歡。
他們手下的鋤頭
使用得那麼熟練，
順手一拖，閃出禾苗，
把一叢綠草放倒在一邊。

工人的神斧
也叫我驚奇，
一起一落
迎合着心的標尺。

時代飆過在我的眼前，
面對着它，我握緊了筆，
我真是一個笨伯，
怕人喊做「靈魂的技師」。

我願意是一顆無名的小星，
默默的點亮在天空，
把一天濃重的夜色
一步步引向黎明。

中原的胳膊

你可曾看見過
十年的老關東回到家門，
一個神秘的包袱
打動了無數的人心？

「還鄉的關東客下了賊店」，
你也該聽過這樣的故事，
「他的財貨
殺了他的身子」。
你也少不了這般的鄉人，
鄉井對他們失了溫馨，
背着債主，躲開人眼睛，
半夜裏「趟黑票」全家闖關東。

一輛獨輪小車
載着七的人，土的破爛
揚起來一道塵煙，
陸地的旱地裏行船。

關東，可不像
什麼「西出陽關無故人」，
關東是伸出去的一隻胳膊，
它和中原關連着痛癢。

一出了「天下第一關」
人，頓然大了胆，
半空裏降下了
護生的傘。

關東是上帝給中華民族
預備的寶庫
三分勞力
給你七分酬勞的東西。
夏天的大野是一片綠海
管許你一眼望不到邊際，
你眼裏看着心下存疑慮，
得多少人才吃完這一季糧食！

秋郊上，
金風像猛虎到處撲人，
你聽，天地都嚇變了色，
生命也彷彿扎不住根！

路徑空虛得像失戀的心，
渴望腳步來踏上串聲音，
村莊和村莊是不世的仇敵，
一個一個躲得遠遠的，
裏面的人却恰稱個「倔」，
見個生客心直噴熱氣。

冷冬的景色
也眞別緻，
無情的「烟炮」（註）
造成個有情的悶儂，
人把身子裹在一張皮囊，
留兩個小洞開瞅着臉前的咫尺。

萬年的森林
展開了綠的沙漠，
要想用腳印穿透這神秘，
你得看青色的葉子片片黃落。
這兒有綠水，也有青山，

註：臘冬，雪落不能溶，隨風亂揚，造成烟霧，人當之，如同利刃。

148

山水却不能只當圖畫看。
山巒裏藏着生風的虎，
多嘴的猴子學着人聲，
有猩猩的羣，
有大隊的熊，
也有美麗的鳥兒
等着人起名。
成形的「參孩子」
點化作聲，
靈芝和起亂草雜生，
這一些，這一些在等候一個窮人，
讓他鑽山裏去找命運。
紅心的木材
造起了戰船，
沒腿
却能走到天邊，
摩天的高樓給浮雲做家
是它撐起了都市的榮華。
綠水不是只會繞白山，
它叫河裏閃着黃金，
引來串人點綴河岸，
它叫白沙去磨細人心。

關東的風情我也摸一點，
大姑娘拖一支長的煙袋，
關外的窗戶紙是糊在外，
養個孩子倒吊起來。（註二）

你還有興聽；我却膠了口，
你知道我的心正在悲傷，
悲傷中原一身是血，
生生的割去了這一條胳膊。

二十四年十月十六日

註：關東有三怪：窗戶紙糊在外；大姑娘拖一支煙袋；養個孩子吊起來。

老媼與士兵

一

兩間癆病屋
和她一樣衰老，
風的手爪
抓搔禿了它的頭毛，
牆上泥皮
一片一片的往下掉，
給時間的足跡
劃着記號。
夜晚不點燈，
星月漏給她一點光；
像淚痕一條又一條，
雨水劃在牆上。
一口小鍋滿身是補釘，
讓它常常餓着，她眞也無法；
現作現報，一點也不差，
它也不把一個溫飽給她。
鹹韭扔炸醬，

146

她躲在牆角裏打戰，
牆也同樣的害怕，
混身一勁的痙攣。
大炮響著
隔幾十里路遠，
屋頂上的土塊嚇得墜落，
把身子扔個稀爛。
她厭煩打仗，
她害怕打仗，
老伴死在戰爭裏，
兒子—— 蟈蟈腿上一根毛，
也從她手裏給拔掉。
（換來一張白條貼在門旁；
害怕打仗
她却關心打仗，
隊伍從公路上過，
她站在一邊巴望，
昏花的老眼
抓不住一張面孔，
可是在每一張面孔上
她都寄出一個希望——
一個渺茫的幻想。
舊的傷兵剛走，

新的傷員來填，
招待所裏的舖位，
一天也不讓它空閒。
她並沒負什麼任務，
她每天都到招待所去，
去同受傷的弟兄談談話，
這纔她心裏感覺舒服。
她問他們的家鄉
離這兒多遠？
她問他們離家
已經幾年，
問他們家裏有沒有老娘？
是不是常有信息往還？
傾盡了慈悲
她把感觸帶回家，
一直帶到夢裏，
那分兩一點也不減差。

二

胡行亂走的雲
像掙脫了管束的小兒，
一碰頭，停住脚，
把身子擠在一起，
想落雨，又遲疑，

像大家在商量，
意見還不齊一。
麥苗像早熟的孩子，
肌黃筋瘦挑不起腰股，
這是因爲營養不足，
喂它的，不是土壤是砂石。
她立在麥隴間
勉強投出鋤，彎下了腰
風，掀開了胖單衫，
要將這一把老骨頭抓跑。
拉回鋤來，
鋤桿做了手杖，
它扶持着她，
向老遠老遠的雲天張望。
她投出了目光——
投出了一個孤絕的希望，
探尋了許多時，
最後落到了兩個士兵的身上。
他們在給戰死的弟兄
鋪一張安息的床，
你一鍬土，我一鍬土，
土上帶着青草，
草葉串着水珠，

清新又晶亮。
他們畔手裏的槍
慢慢起，慢慢放，
把一個長的空隙
留給悵惘和悲傷。
「他們可也有家鄉？
他們也有妻子爺娘?」
「他們有家在江南，
他們打仗來到北方，
誰不是爺娘生養？
為了國家才上戰場。」
她的幾根白髮
繫一個悲傷，
一齊在春風裏掙斷，
看它們漫天飛揚！
「不打仗不好嗎？
為什麼要打仗？」
滿臉的哀愁，
放出了一個委弱的希望。
「你去問日本兵，
為什麼要打仗！」
她拾起了這話的鑰匙，
低下頭，去開她思想的鐵箱。

「我們就不能打走他？
叫他的飛機不再來轟炸！」
她的頭又抬起來了，
凝固了眼光等着回答。
「那不難，打倒他，
只要男兒一齊上前線
不再戀家！」
她放開了額上的縐紋
放走了兜着的悲傷，
嘴角上開出一朵笑，
拄着鋤桿，她又開始向天邊遙望。

[illegible]

神羊台上的宣傳畫

一雙神羊
被牧童一手牽走，
留下這蒼顏的古台
和一段神話共垂不朽。
它帶着千百年時光
點在臉上的霜鬢
屹立在淮河岸上
像一位矍鑠的老人。
永遠不知休息的浩波，
流走了它寂寞的歲月，
日夜不知疲倦的大炮，
震聾了它蔽塞的耳朵。
臉前的崗柵，
背後的戰壕，
像武裝的彈帶，
纏了它一腰，
古壁上掛起一張新畫，
一地冰雪同畫面爭白，

從朔風那邊借來了翅膀，
它呼號的掙扎着要起飛。
這張畫並沒長着號召的嘴，
市上的人羣却擠着往這裏偎，
做生意的離開了他的貨攤，
（忘了貨物可以飛走，
不用長腿。）
趕集的人空着手裏的竹籃，
（忘了家人盼望他
倚着門欄。）
正午的太陽
也曬不散這一羣，
這張布畫
黏住了他們。
如果一注眼光
是一條針尖，
這幅畫
會給針尖刺爛！
雖然上面沒有寫字，
用眼睛代替耳朵，
他們向着畫圖
聽一個動人的故事。
高低的山嶺

158

參差五指亂立，
最高峯上一面大旗，
天風吹揚着「青天白日」，
西面山腰間，
一片白布飄一輪在奄奄西下的落「日」，
槍口對槍口，
正如山頭對山頭，
戰士列起戰鬥的态態！
不讓敵兵跨上山來！
茅草房舍，
稀疏山林，
幾筆淡墨
勾出一個個山村，
死尸在地上縱橫，
山村在火口裏呻吟，
逃難的人影迷離在戰煙中，
血同火焰色不分。
一個戰士倒在地下，
許多弟兄把他扶上担架，
搖着手，裂着口，
向着敵人的方向，他用力掙扎。
但是，担架終於下來了，
沿着一條山徑，

154

血漬像猶濕，
顏色却不同。
觀衆們，手指着畫，
口裏在議論，
是把它解作了
翀羊台戰役的寫真？
一樣的山巒，
一樣的戰煙，
迷離在戰煙中的難民，
說不定就是他們自身。
然而，這個解釋却是錯誤，
這是大別山打船店之戰！
在担架上流血的不是別個，
是韓團長，這場惡戰的指揮官。
這一點却是正確，
打過打船店的韓團長，
最近，在翀羊台也大露過鋒芒，
可是，有幾多弟兄
從畫上的大別山走下淮河岸來，
用同樣的槍
從敵人手裏奪回翀羊台？
同覺醒的民衆磨肩的弟兄，
有幾個不是補了崗位的新兵？

（那個人卸下了責任，
也交出了生命。）
而韓團長，他却帶一身繃帶
夾在人羣裏作了觀衆的一個，
用看過百戰的眼睛，
來鑑賞自己的這一篇傑作。
遠處響過來隆隆的炮聲，
羣衆却沒有一點驚動，
炮聲激怒了臺上的戰士，
羣衆像置身在戰鬥的壁壘中。

廿九年五月

窗　　子

窗子，是從黑暗
投向光明的一隻眼睛
是從人
通向自然的一個瞳孔；
是從孤獨
開向生命之流的一個小洞。
太陽，
突破了濃霧的網
我眼前便落下
一方喜悅的藍天，
太陽以它的金光
試探我的心胸，
想從苦痛的硬殼下
開發出歡欣的礦。
我常是無聊的坐在窗下，
苦惱結在眉頭上，
幻想向西天展翅，
追起白雲飄飛。

大自然來和我相親：
嘉陵江耀眼的銀鱗，
還有舟子的歌聲，
帆片的雲。
窗子攝取來
山色的風景片，
上面繪着樓台，
繪着夕陽，
繪着清秋的淡遠。
打一個通夜，
窗子睜着眼，
為了伴它，
我的眼睛也常是不閉。
聽一個人，
從窗前的小道上
走過去了，
一個步子
一朵寂寞的花，
聽兩個人
走過去了，
說着話，
我的想像緊追着它。
我，雖然被孤寂

都在這個小房間，
被夜的恐怖按倒在牀板，
但是，窗子却使我的心
流進生命的海，
窗子是我靈魂的眼。

卅一年十月

拍

身子緊貼着身子，
兩個人像長在一起，
低聲的說着話，
可是，誰也聽不清說了些什麼。
吵鬧打攪不了他們，
大街是他倆的世界，
擠來擁去的人羣，
在他們眼裏似乎不存在。
倚在她身邊的那個男人，
五年前應該是我，
時光老人眞會玩戲法，
而今給她另換了一個。
（我怕看他，又偏要看他！）
我也曾經這樣
同她並肩的走過，
走過了許多地方，
走過了那麼長的一段路。
今天，[illegible]？

過去的就讓它過去！
起先，在人頭一閃的透明中，
半個側面送給了我的眼睛，
臉上發燒
一隻手在拍我皮球的心，
雖然像是不曾有的事，
但我決不相信是錯認了人。
我強制我的脚步照常向西走，
讓她往東去，一直不回頭，
像路人一樣各走各的路，
命運早已經叫我們分手。
像聽從了神的召喚一樣，
我跨過了大街——
跨過了六年的時光，
用一隻不是我的手，
輕輕的，從背後，
拍了一下她的肩頭，
她回過臉來，
臉上帶着病，
（他，向着補上來的一個陌生人，
一面談笑，一面走。）
像秋天的一片黃葉，
飄泊在寒冷的溪水中。

161

她的一雙脚並沒有泊穩，
想走，又遲疑了一兩分鐘，
臉像「朝陽花」東西亂轉，
大陽，一個在東方，
一個在西邊。
她沒有說什麼，
也沒有一句話問起我們的兩個孩子，
驚異嚇住了她？
我不相信，
她的表情總歸測不透，
就讓我的眼睛不曾低下。
我覺得，她的眼光在我週身跳動，
從頭到脚，一點也不放鬆，
像是要用快照
給我照一副像，
而一雙抖顫的手
却叫這「鏡頭」對不準光。
她立刻就逃脫了，
像逃脫一個噩夢，
說她沒說話，
我却聽到了一個、
熟習而又陌生的語聲：
「你到那裏去？

那呼吸稀像水，
一個刺我的心
却結成了冰。
我向着我的方向走，
用牙齒咬我的那隻手，
痛苦已經睡死了，
為什麼要把它拍醒！

跋：於重慶道上，突遇失戀過十年之王女士，悲痛往事，本已忘懷，一見之下，觸動前心！我已在愛情海中，兩次滅頂，伊已另有伴侶相追隨矣，感而作「擒」。

三十一年一月。

（以上選自「國旗飄在鵲雀尖」）

生命的秋天

臧克家 著

建國書店（重慶）一九四五年五月初版。原書五十開。

生命的秋天
臧克家著
建國書店發行

生命的秋天

臧克家著

建國書店發行

目　錄

生命的秋天

（一）

呵，是秋天了，高空爽朗，
使人想像一顆智慧的瑩亮，
田野曠遠無邊，
像高八胸懷的坦蕩，
秋水：明澈，冷靜，凝練，虛涵，
鏡面比不上，秋水
是洗練過的心情，
是秋天大地靈魂的眼。
呵，是秋天了，你閉上眼睛

2

也會聽到蕭殺的聲音
像刀兵，像死神的脚步；
踏過枝條，樹葉抖戰一下
去飄零；
踏過郊原，草低垂了頭頸；
踏過園林，金色的果子
倉惶的落蒂；
鴻雁驚飛了，掉下一兩聲嘹唳，
當它們的脚步踏過天空。

(二)

啊，是秋天了，我生命的秋天，

3

它在封建的泥土裏發芽，
它在革命的氣流裏開花，
眼前是一個大時代呵，在大時代的風暴裏，
果實在它身上累累垂掛。
我是生長在農村裏的，
我是野孩子隊裏的一個。
鄉井曆愛了我，
也寵壞了我，
它給我劃定了方圓十里，
我一直沈溺了十六個年頭，
在這個狹小而又無限寬闊的天地裏。
我認識了中國的農民，

4

從臉子，到內心，一直通徹命運，
我像認識自己一樣，
認識了泥土給他們
雕塑的性格：勤苦，忍耐，樸實，善良，
我認識一顆穀粒，一顆汗珠的價值；
我認識窮愁的面相，
我也認識富貴人家的門台
有多高，享的福有多大，
罪惡有多深，我也會
在生活意義上來個比照。
我認識四季的風向，
雲頭的變幻，陰晴風雨

我會從鳥巢口上去測量，
我能向青山說話，同流水
調眼角，我能欣賞鳥兒的言語，
虫兒的音樂，我心裏充溢着愛，
這愛深到不可丈量——
我愛泥土，愛窮人，愛大自然的風光。

（三）

生活給我打開了
兩扇大門，我順着一條
前進的路走，背負着
一個思想，懷着熱情，天眞，

5

6

和一切就響的一顆血淋淋的良心；
雖然這一些多麼不入時，給我招惹來
譏笑，恥辱，苦痛，甚至於災殃，
可是我堅信，堅信着
虛偽，殘酷，醜惡的陰影
決不能遮蓋了它們的光芒，
宇宙，人生，必須這光芒去照耀，
照耀得它溫暖，明亮。
我做過革命前線上的
一個尖兵；
我也曾流亡在松花江上，
陪伴我的是秋風，

7

愛情的陰浪
幾次向我衝打；
我活在黑色的恐怖裏
像活在一道時時刻刻要倒塌的牆下。
我走着，沿一條曲折然而是前進的路徑，
像一個遠行客，坐上特別快車去旅行。
隔一片玻璃，看雲烟，一捲又一捲。
看田野，樹木，莊村，馳過眼前。
一閃就是一次人生，當你想去把捉的時候，
它已經成了茫茫的前塵。
跋過山，涉過水，穿過大戈壁，
風，一陣冷，一陣暖，一陣熱，

3

車開進了一個站口，
木牌上標着「四十」兩個大字！
回頭向過去看，青春的歡樂，
歡樂的悲傷，也不過一步遠，
我還是那一副耳朵，那一張口，那一顆心，那一雙眼，
而生活的顏色，聲音，味道，意義，
都變得這麼可怕，這麼慘！
我曾經「拭乾眼淚瞅着你們變」，
今天，我知道，我該「拭乾眼淚跟着你們變」，
歷史的情感拚死的拖着我的脚，
理性的桿子却牽引我向前。
站在深黑的古井前
照一下鏡子，

不管感傷像雲烟，
我必須再起步向前，時代在飛，
我的步子也不容再那麼蹣跚。
嚇人的新鮮，說謊一樣的眞實，
像把夢搬到了實地上，人眼前；
我所愛的窮人，吃了智慧的果子，
從蒙蔽裏睜開了眼，顯示了
自己是英雄，是上帝，
用頓然覺醒的聰明，用萬能的手，
在地上建立起自己的樂園；
我所憎恨的，因爲它們自身的醜惡，
也爲多數人所憎恨，它的壽命

像落土的陽光一樣促短。
用希望繪製了多年的新生的圖案，
一旦顯現在眼前，這是怎麼回事，
對着它，我反而有些陌生，有些畏縮，有些不習慣……

（四）

四十歲，必須戰勝自家，
從老幹上抽一枝新芽，
（我正在作着慘烈的鬥爭！）
四十歲，另換一雙眼
重新去看。
過往告訴我「是」的，

情感須得從心裏也說「是」，
另給自己的眼睛，耳朵，口和心，
安排一套新鮮的感覺，口味，顏色和聲音，
讓整個的心浸潤在裏邊
像魚游泳在水裏，
我必須變成羣衆裏面的一個，
像我曾經是孩子隊裏的一個一般；
我必須再造歡樂的，「歡樂的悲傷」的
第二個童年。
我將用心去吸取生命的花朵，再釀造，
然後吐出來去營養別個；
我將用「手」治療自己的

12

憂鬱病，感傷病，神經病，心病——
智識份子病；
我高興可以舒舒坦坦的活着，
活在光明的照耀裏，呼吸着
羣衆呼吸的氣氛，我情願卸下詩人的冠冕，
做一個平平常常的人。

卅三年八月十四日渝歌樂山中。

六 機匠

你那兩間茅草小屋，
同你弟兄們的雁字兒連起，
屋頂上的草，像主人的生活：烏黑，枯朽，
門是命運的框子，使你出入向它低頭。
一個院子，三面矮牆，
青草挑在牆頭上，
大門口張開了田野的空曠，
大門口，沒有大門，
好讓「馬耳山」隨意照過來苦寒的青光。

14

三十年前，你是三十歲的一個機匠，
屁股把坐板磨得嶄亮，
你的心指揮着手脚，
一雙眼緊跟起竄跳的梭，
你把白天的日光，深夜的燈光，
把長長的年月，不斷頭的酸辛，
一縷一縷的織入了布紋。
嗒嗒的機聲響出來詩的音韻，
我，一個孩子，聽不出生活的意義，
也聽不懂，機聲斷了的當兒那一聲歎息。
梆硬的炕頭上坐着七十歲的老娘，
紡花車在她手下嗡嗡的響，

15

棉花絨飛起銀花花的雪片，
落在牆角的蛛網上，落在黝黑的牆上，落在人身上，
可是，當落到她頭上的時候，便失去了它的光亮。
你那小小的庭院，便是我們孩子的天堂，
年年春三月，有一樹桃花
開出你的西牆，我覺得，世界上，
沒有一個地方，有比你這裏更可愛的春光。
夏天的黃昏也唯有你這兒的最好：
蚊子在簷前佈陣，蛛網掛在牆角，
星星越看越多，蝙蝠從頭頂飛過，
白色的蘆蘆花，一朵又一朵，
照來了長嘴的「古綠哥」。

16

幾個人坐一領蓑衣，
聽你的巧嘴講故事：
有心跳的征戰；可笑的滑稽；
我的心，常隨着英雄的一支鏢
投到半空裏，三天三夜還不得着地。
鬼仙的戀情，總是悲劇收場，
我也沒有一次，不爲她們
墮入了深深的悵惘！
你的嘴水順着菸嘴淌，
你的「瞎話」簍子永遠倒不完，
五天一個「集」，說書場上你會不吝惜幾個銅板。
我們沒有錶計算時間，

17

只看見，院子裏飄滿白霧，天上的星花更燦爛，
你瞌睡了，一天的勞累
壓上了雙眼，我們用手扒開它們，
想把你的睡意放逐，
奇怪一個人爲什麽要疲倦！
冬天的陽光下我看你「牽機」，
把大紮子線牽來又牽去，
你腚溝裏長出條粗的尾巴，
平地上刷出來一道瀑布。
夜夜忙着織布，天天忙着「牽機」，
三九天，你弔一條燈籠褲子，
冷風一吹，它便響動着要把你浮起，

18

紅鼻頭上掛一點搖搖欲墜的青鼻涕。

幾年過去了，你失去了老娘，
也失去了那張織布機，
你織的老土布已經不行時，
白洋布霸占了市場，好看又便宜。
你有了一張鋤，你有了一頭牛，
頂着你的西「山」多出了半間牛的房子。
多少個春天的好日子，我跟着你，
老遠老遠的下「西河」，去耕那一塊可憐的土地；
夏天，你在高粱地裏流汗，
我浸在清清的河水裏，

晌午，栗子行裏沙灘上躺着打盹，
有涼蔭撐傘，有風搖輕扇，有蟬聲催眠，
太陽爬到了臉上，睜開半個眼，把身子一翻，
擦一把橫流的口水和額上的薄汗，
我們踏着黃昏的小路歸來，
鋤桿上打着蓑衣，掛一個小「牛眼罐」，
我提心吊胆的往家跑，帶着悵惘和依戀，
聽到你開了鎖，吱呦推開了關住寂寞的門扇，
這時候，這時候，新月已在窺你的茅簷。
大門前一塊小小的菜園，
半邊栽葱，半邊種菸，
五個畦子，五個弟兄，
不用問那一份屬你，一眼就可以分辨。

20

順手拔一棵大葱，咀嚼着，又辣又香又解饞，
辣得心痛，辣得眼裏滴淚，口裏流涎——
當東風把紙鳶飛滿了天，
當快樂隨着手裏的線越放越遠，
當麥浪波動着碧綠的柔波，
當歡呼把整個的郊野填滿。
呵，你西牆外的場園上，
有多麼富麗，多麼豐實的一個秋天！
吱呦吱呦小車子響，轆呱呱的叫，
狗子跟着牛車跑，
四面八方的路上洋溢着收成的歡喜，生的活躍。
大豆，高粱，閃耀着燦爛的夕陽，

21

木鍁一揚，半空裏落下來
黃的金粒，紅的寶石。
男女老幼一齊在場園上忙，
人人一身風塵，臉上却閃光，
隔一堵牆，也可以聽到孩子的哭聲，
大人的忙亂，尖鞭的脆響；
隔一堵牆，也可以聞到
高粱葉，豆楷稞的芳香；
隔一堵牆，也可以看到
「揚場」的塵土撲個滿莊。
太陽落了，天空換上了星星和月亮，
地上的燈光，照着人笑也照着人忙。

22

你的辛苦也結了果，多半的糧食上了「租粒」，
剩下一點點對付着肚皮，
靠着那株桃樹，居然也有了一個小草垛，
它給你一點溫暖，使你的屋頂
也按時冒煙，告訴着：「我也在生活！」
你正當三十多歲，年富力強，
只有一點點土地給你敷衍着四季，
有力却沒有用它的地方！
當歉年餓瘋了窮人，
他們一窩蜂飛到富戶去搶糧，
有的腰裏「別」上支「盒子」
加入了土匪幫；

你却守着冷炕頭和一個餓肚子，一動也不動，
你勤苦，正派，老誠：
「餓死了不「下」腰，
　凍死了也要迎着風！」（注一）
你的四壁上貼滿了「小模畫」，（注二）
畫着「招財童子」，「財神進門」，
畫着搖錢樹，聚寶盆，
畫一個打魚的「沈萬三」，
一網打到了萬兩黃金。
你常說：「吉人有天相，勤儉是黃金本」；
但為什麼，為什麼上天曾沒睜開過眼睛
看顧一下你要命的貧困？

24

你也說過，畫上的仙女
夜裏走下來私戀凡人；
可是，爲什麼，爲什麼四壁黃金
不曾走下來過一次，
走下來救濟一個像你這樣的好人？

過了幾年，你又失去了
你的黃牛和二畝田地，
（你的佃主，潮流把他衝破落了，
他不得不變賣土地過日子。）

可是你不能失去生活，
你又換了一個新的頭銜：「酒房的掌櫃的」。

喊着「打酒」的聲音斷斷續續，
手裏擎一把小黑磁壺，
人頭長在牆頭上，
靠街戶的牆頭給磨得光禿。
「酒房」裏總是滿滿的，
閒人，孩子和酒徒，
閒人，來消磨他們的時間，
來播古搬今，來用最放肆的淫蕩
給耳朵和嘴開一開葷；
孩子們來開聰明孔，來聽故事，來學着打諢，
來看醜態百出的醉漢們：
鼻孔裏說話，口裏酒氣亂噴，

26

酒力淹沒了虛偽和理性，
恢復了他們的童騃和天眞。
你也間或「噓」幾盅，
幾盅酒就在你臉上燒起紅雲，
你的酒一火到底，
你的酒，像你的人一樣清純。
「上城揹酒，走到河裏摻了多少水？」
別人故意逗你開心，
你便臉紅脖子粗，頓脚賭血咒：
「摻滴水的叫他斷子絕孫！」
秋雨一淋幾十天，
破敗了的冬瓜架下蟋蟀在叫，

西風把天地吹變了顏色，
也吹老了你牆頭上的草。
在這最淒涼的秋天，
你的小屋裏最溫暖，
雨把人誘引了來，
一回兒，門響了，腳一跺，
簑衣抖下了一地雨點。
你的屋成了個小小的賭窟，
炕上一「棚」，是大人，
孩子們，也在地上用一副「記葉子牌」磨指頭，過過
癮。
四隻手擊着四把牌，

眼光和心血全灌注在上面，
看「外包」的圈了一大圈。
替別人的命運担心，
臉色隨着牌葉子變。
人體的氣息，呼吸的氣息，煙草的氣息，
再加上瑣碎的嘈雜，突然的轟笑，
釀造成一團溫馨——
呵，那樣一種醉人的氣氛！
夜裏，兩盞小煤油燈底下
四個人賭他們的命運，
風，鼓動着窗紙，
煤烟子搖曳着一注黑雲。

這時候，我已經不再是一個
扒着你的嘴要「賭話」的孩子，
我已經是戀賭的一員，
雖然他們誇我眼快手疾，
但我往往輸的淨光，恨不得老鼠洞裏去挖出銅錢；
我常常做心疚的小偷，
向「老哥哥」破櫃角的布袋裏探手，
心想，「老哥哥」多麽可憐，
心想，贏了再偸偸的給他還原，
我更忍心的拒絕了妹妹的勸告，
背着嚴厲的祖父，到你的小屋裏
去熬一個通宵！

全輸光了，天也亮了，
帶着疚心，帶着失望，帶着一身疲勞，兩鼻孔黑烟，
偷偷的溜進房子，哀告過妹妹，
把大被一蒙，雙眼一關！
爲了幾個「頭錢」，
你也陪着熬乾眼，
有時候蜷在一邊睡去，
醒過來一看，狗皮頭上的「頭錢」
已經被人借去輸乾。
你自己起火，自己作飯，
作與作一頓吃他一天，
你的心巧口巧手也巧，作的飯

31

那麼乾淨，那麼香甜。
冬天，一尺厚的白雪壓住屋簷，
當個小小的「局頭」
也賺個熱炕頭烙烙腚眼，（註三）
每當我遠遠望見你的門上打一把鎖，
它鎖緊了我的希望和喜歡，
呵，眞的，你這間小屋，
我不來就不算一天。
有一個秋天，你祕密的出了遠門，
這個祕密立刻廣擴成一個醜聞，
人人都知道你去了南滿崖，爲了一個女人，
個個都說，回來的時候，你再不是一條光棍。

32

南海崖，女人值錢，誰不值錢，
月夜排隊在沙灘。
談談笑笑全不在乎，
反過衣後襟把臉蒙住，
幾個銅板就可「摸」一個臨時妻子，
白髮，紅顏，那全看各人的運氣。
你從南海崖回來，
臉上沒添一點光彩，
也沒帶來一個女人，
反把多少年一點辛苦錢丟在了南海崖！
從此打破了「成家」的奢夢，
從此，你又給玩笑的人們

添了一個新的故事。
「和局」乾熬油，賣酒不賺錢，
（賺了些爛賬！）
接受了壯年意氣的鼓動：
把門一鎖，你闖了關東。
呵，「關東」，多麼神祕的一個地方，
多麼動聽的一個名字！
彷彿關東的大地不是泥土，
是一塊流油的膏脂；
彷彿關東的山裏生長的不是石頭，樹木，
生長的全是金塊，靈芝草和參孩子，
關東給窮困的人留最後一條路，
十年，二十年，當他們再回到故鄉，

34

漂亮的衣服，神秘的家當，
引動了多少顆心，多少張口，多少條眼光！
你，去了一年多，又回來了，
沒學上一點乖，沒多上一點東西，
連衣服，連言語，回來的時候
還是去的時候那個樣子。
我不知道你爲什麼要回來，
是禁不住思念這個拒絕了你的家鄉？
才一年多，你的屋頂漏着天，
後牆的縫子裂半尺寬，
每當我從它身邊走過，
我的心也一樣的裂破！

四機匠，五機匠，他們有過多的孩子和窮困，
雖然是骨肉，硬骨頭也不許你投奔他們，
那裏去？那裏去？如果沒有「家後」，三機匠的家給
你安身。
窮人家一樣處處是酸辛，
你去住，却沒帶上土地和金銀，
你想「過繼」一個姪子來「頂枝」，
可是，除了貧困，你將把什麼東西
遺留給你的後人？
我常常看見你
一個人在小窗前癡坐，
有時候，對着燈光，啣一支菸袋，

36

烟滅了，你還在「叶嘔」，
我知道，你的心已經不在菸上。
十七年秋天我亡命到瀋陽，
困在你大哥「王江」的家裏，
一個炕上睡男女八口，
一個個盡是鄰里。
二十年的關東也沒使他致富，
還是幹着祖傳的老手藝，
他的大兒子「羣祥」，我兒時的伴侶，
却變成了流氓，混着菜行。
你當年闖關東也住在這地方，
擺一担菜担子怎麼會發財？

這個環境裏容不下你，
你到底走了，帶着你的看不慣和正派。
我在這間小屋裏做一個罪犯，
坐在炕頭上像個大姑娘，
日頭出來，我沒有希望，
日頭落了，算又過了一天！
有一天，你突然來了，
我的心一跳，我清楚你來的意義。
你來了，我得再遠走，
再向着寒冷衝去一千里！
當天夜裏，對着餞別的酒
我們大家都流下了眼淚，

38

第二天，送我上車站，
你一路子不住的抗議：
「天呵，這是什麼世界，
到處都是好人遭難！」
當我又平安的看到了家的時候，
你已經把身子租給人家當了「把頭」，
吃飯要看人家的臉色，
行動要聽人家的命令，
一隻鷺鷥，爲了一口食，
把一個天空換一個竹籠。
我再沒有機會常常看到你，
你再也沒心用「瞎話」娛樂孩子，

秋天打場，你叫四斗布袋
在肩上打個挺，然後笑着眼睛掃向大衆：
「你看還不老罷？」
不知是自我嘲笑還是賣弄！

多少年不見了——
當中隔一段戰爭，
家鄉破碎了，不再有：
一間完整的房子，一顆完整的心，一條活着的狗！
如果你還活着，是怎樣的活着？
不會再死守着那老實，正派，
生活該教你學一個乖。

如果在集體農場裏，
你可以作一個勞動英雄，
因爲，你有那份能力，也有那份熱情；
如果在工廠裏，你可以作個好工人，
因爲，你有那份天才，也有那份細心；
你可以做一個出色的小說家或是詩人，
如果教育不對你關煞大門。
我眞眞替你可惜，
像你這樣一粒種粁，
錯投了時代，埋在封建的泥土裏，
開不出花，也結不成實。

卅三年十二月十六日，

注一：鄉諺：「凍死迎風站，餓死不下腰。」「下」，彎也。
注二：便宜通俗之小型年畫。
注三：吾鄉傭人自解語：不圖吃，不圖穿，圖個炕頭烙腚眼。

42

口哨

嘰……咕，嘰……咕，
像一聲一聲寂寞的鳥叫，
枯冬的風捲著它跑，
把山裏的白晝和我的心
傳染了。
那有什麼鳥：一個小孩子
在腳掌大的一片山地上開荒，
稻田的明鏡
捕捉著鋤頭的影兒，

征服了韌性的老草，
汗滴落在新土裏
像撒種籽。

噯……咕，噯……咕，
像一隻小鳥歌唱春天，
山花紅了，風也軟了，一股暖流
無聲的流，流在人心上，
流在山谷裏，也流在平原……。
他就是一隻生命的鳥兒，
光脚板浴在土香裏，
他用力也用心使用他的鋤，

它對他有點過長也過重。
吹動他頭髮的風
也吹動着豆苗，嫩生生。

嘰……咕，嘰……咕，
像一隻鳥兒報告秋天的消息，
一聽到這聲音，
天更高，雲更薄，風更急。
我又看到了他，看到了這個小孩子，
他手裏鋒快的鐮刀
把豆稞放倒了一地，

嘰……咕，嘰……咕，
他的口哨更響了，
不再是空虛和寂寞，
它像飽滿的豆粒子一樣的充實。

卅二年十二月九日於渝歌樂山中。

才一年

——抵渝週年紀念——

去年今日，滚燙的熱流
把我浮到了這座山城裹。
滋補了我靈魂的
點綴在兩千里長途上的山水，
五年戰地生活
情感的淤積，
一打總，給汗水冲洗個痛快淋漓；
當我第一個步子落地的時候，
歡喜的眼淚

像脹破飽和點的雲衣
兜不住的水滴。

排列在兩旁給馬路站崗的高樓，
向我這寒傖的陌生人擺架子；
一股活生生的野勁在我身上，
我一點也沒有胆怯的意思。
汽車像猛虎撲向我，嗚嗚的咆哮，
屁股上噴黑烟，是跟從它的風暴；
我却用發燒的雙腿
昂奮的同它賽跑。
走在馬路上的人們——

穿杭紡大衫的，飄飄然，
穿西裝的，用身子撐門面，
它們的式樣配合了
他們的心境，像戰前；
還有抹紅唇的，披散着波浪鬈髮的，
（上帝賜了她們一副臉子，
她們硬要另造一副給人家看。）
呵，這一羣，他們的眼光
比刺蝟的針毛更尖。

我穿一身破草綠軍裝，
它的顏色已經沒法分辨，

它上面，有風雨的脚印，
有臭汗畫的圈圈，
再嗎，再嗎還有點兒戰爭的氣息
潰浸在絲縷的中間，
這軍裝包裹着一個痛苦的靈魂，
因爲它常大睜着一雙眼。
當苦悶的流行病盛行的時候，
我不會用幻想替自己砌一座天堂；
可是我想：「後方就是苦悶，
這苦悶對我也還是個新鮮模樣。」

整整三百六十天。我沒有日記

50

做寒暑表，記下心情的陰晴和冷暖，
我沒有笑，我只覺得
自己的心胸一天一天被壓小。
入時的衣着
給我變一個外貌；火石子性子，
火鐮碰鈍了它的芒角。

灰塵要使人鼻孔裏楔上木塞，
它是一層帳幕，隔着它，
什麼都朦朧，什麼都模糊；
濃霧私姘了晴空，
把人囚在永恆的幽暗裏，

氣悶，發霉，心焦，
想望一條陽光
像窮漢想一條金條；
乘着自私的小船
在這黑流裏沉浮，
各人避向一個狹的希望港口，
時代的風暴吹不到，
也嗅不着戰爭的烟硝；
一團噪音，亂嘈嘈，鬧轟轟，
從高處掉下來，
從平地浮上天空，
把假的鍍上金，

52

說黃金是黃銅，
把顆心僞裝得那麽美麗，
說慣了，聽慣了，
不紅臉，不介意，
我的耳朵病了——
它生了一寸厚的繭皮。

才一年。過的日子
却得用一年的多少個倍數去計算；
才一年。物價的指數
直綫的向上爬，爬，爬，
天那麽高，彷彿它也爬得到，

紙票上的數目字越來越大，
生活的路子勒成了線條。
公務員，鎖不住的愁苦
從心頭爬上了眉梢，
歎息着一個月的薪水
換不到一個人的溫飽，別談什麼老小，
時間把他們拴在辦公桌子的腿上，
可是，他們的心早從「等因奉此」的紙面
飛得老遠，
咬碎筆桿，伸個懶腰，打一串呵欠，
眼睛緊跟着鐘錶的秒針轉圈，
打打鬧鬧，海闊天空扯一陣，
誰能閉住口，活活悶死，不做一點聲音？

54

館子裏沒有戰爭，
就連吃館人的嘴角上；
有的是珍味，
有的是站班侍坐的人的濤浪。
冰室裏沒有戰爭，
就連吃冰人的嘴角上；
有冰淇淋，有電扇，
一直沁得大熱血發涼！

戰爭
像在另一個星球上進行。
色情的電影，門口掛着「客滿」的擋駕牌，

落伍的太太們向老爺發脾氣，埋怨，唧噥。
報紙到手，眼睛先在廣告上巡邏一陣，
然後滑到第四版，
想從上面發掘一點奇蹟開心；
一個大勝仗是一針興奮劑，
過一回，麻痺又在人身上
恢復了它的健康精神。
大腹便便的商人，滿街上晾肚子，
像懷了孕；是懷了孕——
懷着一個別人的「國難」，
懷着黃金嬰孩，
屁股一撅，就可以下來，

說不定還是一產三胎。
或是，我的眼睛病了——
沙粒磨得它實在太厲害。
我彷彿從生活的活水裏被拋上了岸邊，
站在圈子外，恰好的距離點，
我眼睛的鏡頭
攝來了形形色色的側影，
用自己的心再把它們冲洗出來。
我用我的心看出去：
水，抽去了柔情，

山是頑劣的石塊，
電綫向天空
劃着五綫譜，
譜出了沈鬱低咽的調子；
內燃的火頭在心上燃燒，
把情感燒成了堅硬的固體。
我失掉了自己。但，我聽到了一種
召喚的聲音，
像一個母親挑着兒子的衣服
念念有詞的向四方給他「叫魂」。
這聲音，顫動着傷國熱情的夢幻，
這聲音，帶給我西北荒漠裏風沙的激響，

它來自朗爽的天空下，
它來自淙淙的流水邊，
它來自農村的茅簷角，
它來自另一個天地——
我靈魂的故鄉。
我要歸去呀，我要歸去呀，
我要歸去呀，乘着夢，
上帝，你借給我一陣自由的清風。
卅二年八月十四日于渝文協。

山村冬夜

夜，這個客人，
太陽一下山
他就來拜訪山村。
當都市裏的燈火
正給夜遊人
佈置一個燦爛的夢，
這兒已響動了
家家的關門聲。
把怒吼的冷風
關在門外了，

60

把簷角上的寒星
關在門外了，
把虎豹的山巒
關在門外了，
把什麼都關在門外了。
鷄子睡在鷄窩裏，
小猪睡在猪圈裏，
孩子睡在牀角裏。
主人勞苦了一天，
夢引他去尋找點香甜：
老婆婆坐在小燈前
朦朧一忽兒，

淡淡的一片紅
在衙紙上朦朧…………

卅二年十二月廿九日早於渝歌樂山中。

62

生活的型

前綫上打了個勝仗，
後方的人們又記起了戰爭，
爭着分嘗一口光榮的成果，
胸窩裏一陣子熱烘烘。
有的人跑到前方去慰勞，
（不變成「反慰勞」就好！）
按着公式，轟轟烈烈的來上那麼一套；
有的人跑去憑弔戰場，
憑事後的聰明解說一番，

反正這不比探險。
將士們在報紙上
再做一回英雄，
一回兒，熱情退了潮，
各人縮進了自己生活的型。

卅二年 七月六日

你不是孤獨的

——給一個青年朋友

頭頂上的月亮，把我們失散了八年的影子
在這山窩的小庭院裏重新找到了。
我的話頭連珠一樣的彈出，
你沉默著：
我的白沫像亂迸的火星，
你沉默著。
我數點每一件瑣碎的往事，
每一個人，我仰臉向著月光，
戀情把記憶點亮了。

我換上
年青了八年的耳朵，
聽見了「運河」的濤浪，縴夫生命的叫喊，
聽見了一些親切的聲音，歡騰的，悲哀的，激憤的，
我換上
年青了八年的眼睛，
看到了秋風裏蒼然獨立的高塔，
看到了「臨清」蒼凉的古城，
看到了一羣在我心上永遠年青的男女孩子。
我的一張口也年青了八年，
回味著最堪回味的東西；
我的心像眼前的月亮。

66

過去的顏色，聲音，形象，
在它的光圈裏復活了自己。
你已經失掉了的一些東西，
我替你檢了起來，
在你心頭睡死了的一些東西，
我替你把它喚醒過來；
呵，你的手是如此的冰冷呵，
我給你通一股溫暖的電流。

×　　×　　×

「我的手就是我心的口。
呵，這些年月，敵人使我丟失的
不只是田園，家庭，

還有更珍貴的東西，
還有天眞，友愛，熱情；
過去對於我像雲裏的樹，霧裏的花，
我也失掉了現在的意義和未來的希望。
這一定很夠叫你驚奇的，是不是？
連我自己也驚奇我的今天和昨日！
可是，我並不是先自造了一個悲觀的框子
到處去套取事實，不是的，
我是用健強的脚步
走向希望指給我的路，
揩去汗，拭去血，跌倒了，又一次，
抖擻，叫喊，疼痛，

最後一次跌倒的不再是我，
是希望它自己。
當我對自己的力量失却自信的時候，
當我被危難圍困的辰光，
我向每個我所認識的「朋友」
（多崇高的一個名詞！）
伸出熱情的手，像一個溺者那樣，
終於，我又絕望的把手縮回來，
求救的呼喊徒然嘶啞了嗓子！
每一顆心都向我關閉著。
我驚異命運在地球上
給人類劃的圈子是這麼狹小！

每個人關起大門，只要自己溫飽了，
謝謝上帝！
華燈照耀下的歌舞伴，
誰會感到黑暗裏生命的顫抖？
酒肉在雙頰上炫耀紅運的人們，
他想不到，也不去想，在同一世界上。
有多少人用饑餓當食糧！
狡猾者，像心裏無神的神甫，
用自己並不相信的幌子，
在上面寫一堆神聖的名詞，
叫別人跪在他脚下；他的高貴
建立在多數人的自卑上；

陰謀家，把莊嚴的白晝當黑夜
在太陽底下，用可怕的陰謀到處掘陷阱
上面安一塊甜餅，像夜間的捕蠅者，
以燈火作引誘，他們捕食人類的良心
一點也沒有鬱息；
年青的智識份子，像我這樣的多數人，
戴著衆人鍋子的「民族的精華」，國家的棟樑，大時代
的拉縴者，未來世界主人翁」的金冠，
囤積了智慧，也許是愚蠢，
等待着高的市價。
揹不起
霓虹的志氣，
希望的鍋子

牽在一條自私的短綫上；
沒有氣概，甚至沒有儀表，
走起路來脚步幾乎是無聲，
眼光只落在脚前一步遠；
國家，民族，這些名詞，
他們沒有那份神聖的情感和意志
把它充實，
就是在口頭上
也失去了它的莊嚴與堂皇！
荒淫，無恥，自私，匯注成一條人慾的洪流，
一瀉千里的滾滾的在奔騰……」

× × ×

72

你的眼睛發亮了，
你站起來了，你來回的走，
我聽到了
你的情感的泉水向纏裹住它的泥土衝擊，
我看到你一步一步走向你自己。

× × ×

「我所感到的比你所說出來的更多，
苦痛使人麻木，
也使人憤激，
如果人生確像你給它描繪的圖形，

我也情願一頭碰死，用血寫出抗議；
可是，那並不是它的肖像，
你僅僅看到了它半面陰影，
歎息，悲傷，眼淚和紅血，
這些黯淡的花朵
點綴在人生燦爛的布幕上，
把欣慰，歡笑，愛憐和同情，
把這些襯托得更鮮明，更美滿，更悅目，
它本身也就是美麗的。
你聽見了淫亂的騷音
就把它當做人生的交響樂；
可是，你聽見過

爲正義衝鋒的撕殺嗎？
你聽見過
反擊在你所憎惡的醜惡上的悲壯的聲響嗎？
你看到了陷阱和它的設置者；
可是，你爲什麼看不見
它的敵對者，挖墓人，以堂堂的隊伍，
絕對多數的隊伍，越來越長的隊伍，
邁著整齊嚴肅的步子
衝向它去？
我告訴你，你不是孤獨的，
世界上沒有什麼是孤獨的。
你的怨憤，痛苦，不是你一個人的，
它是你的，是我的，也是他的，

它是千千萬萬人的公積。
你的希望，你的歡喜，
就是你認爲私有的一點微妙的情意，
也同樣存在別人的心裏，
心和心的路是通著的，
生命的大門
永遠開向同命運的人們。
這麼想，在午夜醒來的時候，
才不感到人生的空虛，
它是充實著的，用人與人共有的一點東西；
它給人力量也給人戰鬥的勇氣……」

× × ×

76

你把頭昂了起來，向著天空，
月亮正以它充溢的光輝照耀
像愛的海洋。

× × ×

早晨，你醒來得很晚，你說，這一夜抵消了八年，
這是一個最舒坦的夜，有一點溫暖貼在心邊。

× × ×

我送你，早晨的太陽
照得映山紅更紅，
峯巒更青秀，
鳥兒的歌聲又脆又圓，
草木挑起露珠，
向人誇耀生命的美滿。

我握了你的手，手不再是那麼冰冷，
我從你眼睛裏看到，
一點什麼從你心上復活了。
我站在高處，數着你走下
通向人海的山徑，
迎着太陽走遠了，
我聽見石板留下了你的腳步。

卅三年四月八日於徵歌樂山中。

78

兩盞小燈籠

自從那一天妳告訴了我一個那故事，
以後，每天下午，我都是計算着
辦公室大赦妳的時間，一個人
站在山頭上，望着黃昏裏那一條小路。

我是迎接一個消息，
迎接一個失眠或是酣睡的夜，
迎接自己的悲哀或是歡喜，
這消息，不要用話；妳的臉色

就會完全告訴我的。

那個小女孩子，妳才見過幾面，
她的模樣，她的身世，她的遭遇，
我，全得用想像去摸擬；
可是，妳的幾句話，已經把她變成了
我的親人，我的妹妹，我自己的一部分。
窗戶外邊，春光像春水
溢出了天地的池塘
像不掏腰包的醇酒
隨時隨地讓人醉一場，
各種鳥兒被選了這麼款的高枝，

80

站在上頭放開了大嗓，
阡崖上的野花
把春水當鏡子，
像一羣大自然的姑娘；
而她呢？她躺在一頁木板上，
翻個身像轉動塊大石頭，
屋子裏，陰慘慘的沒有一絲光，
白天，黑夜，她的心，
顏色塗染得完全一樣。
庭前，沒有一棵樹
招來隻鳥兒，

11

替她報一聲春天的消息，
沒有一個人折技花來
叫她聞一下春天的香氣，
她閉着眼，閉着心，
這間小屋子就是她生前的墳地。

院裏的員工們，各人忙着各人的公事，
計算薪金的多少，和發薪的日子，
醫生，每天照例來一次，又匆匆的走出去
怕肺癆的細菌，把口罩蓋得嚴嚴實實的。
疾病，呻吟，死亡，
看慣了很平常，
她還活着，

在她們的眼裏却早已死亡。
她這張給結核菌扼啞了的喉嚨，
曾唱過多少只救亡歌曲，
她這兩隻站立不起來的枯脚桿，
踏過來的路，多麼長又多麼崎嶇！

她的爺娘，被山水阻隔在
南天北地，空有一封信
給她一個日子，這個日子
給她一個希望，這個希望，
她不知道，她是絕對等不到的！
一天，妳說，妳給她送了一個橘柑，

又一天，妳說，妳給她送了一點白糖去，
偏一天，妳又說，妳送給了她兩顆淚珠。
妳做得好，妳做得真好呀！
在人生的鐵門還沒向她關死的時候，
（還才是剛剛開了一點縫兒！）
叫她嘗一口情感的水汁罷，
叫她嘗一口人生的甜味罷，
妳那兩顆淚珠
會亮成兩盞小燈籠，
照着她生前的心
和死後的道路。

卅三年三月廿日於渝歌樂山中

馬耳山

拂掃北台看馬耳　未隨埋沒有雙尖

——東坡雪後「超然台」上看馬耳山句

馬耳山，我的「對門」，（註一）
當故鄉的田園戀愛着我單純的心，
早晨，紙窗子一捲開，
就把你迎了過來，
晚上，門關子一響，
你便叫黃昏領走了——
一抬腿，跨過短牆。

你永遠美滋滋的
笑向每一張投過來的臉，
這笑，滋養着千千萬萬的靈魂，
這笑，它是多麼自然，多麼溫暖。

你永遠不改變樣子，
又像時時刻刻在改變，
每一次看上去都活鮮，神秘，
每一次都有點什麼加添。

春天，你叫桃花
開在澗水兩旁，潺潺的清流
用溫柔的聲音

召呼來幾個浣衣的姑娘。
你摧殘了美，使美更美，
你挺立著身子看陽春的「野馬」
奔跑在大地上；
你看見：抗著鋤，牽著牛，
背著個沉重命運的農夫（註二）
撒汗珠，撒腳印
在濕潤放香的黃土——
這一幅太美太慘的春耕圖。
你看見夏季「秫秫頭」上（註三）
飽滿了紅色的希望，
穀穗子沈重的墜下頭去，

風磨得它嘶嘶的響，
你看見農家婦女們挎一隻籃子
向田野去，
走在繡著花朵的綠色的地衣上，
斷臂的高粱，草科的長莖，
挽留似的遮攔她，掣拉她的衣裳。
農人，亦條條沒入到
綠海的老底，
看不見却聽得見他們。

秋天，西風把大野吹空了，
把天吹高了，把水吹冷了，

從地面上吹出枯墳來，
蕭蕭的白楊替死人歌唱。
秋天的野坡
是孩子們的遊戲場：
翻瓢揭瓦，壓細了呼吸，順著聲音
去探蟋蟀的洞房，
掘田鼠，捕螞蟻，
心，追隨獵犬的賜予。
「兔虎」的翅膀；（註四）
猛然一抬頭，呵，馬耳山，
碰上了你笑的模樣。

白雲在冬天
給你添了神祕，
我們望著你，唱著我們的歌謠，〈[illegible]
游戲在太陽地，冷風裏。
啊，冬天！寒冷抖着窮人的牙巴骨。
一身紙薄的襤褸底下
是紅腫腫的一片醬色肉；
狂嘯的風啊，它日夜向人示威，
把一個個小村莊抱在冰冷的懷裏
搖，搖，搖，
把烏鴉翻在半天空
呱，呱，呱，

90

啊！生的窮愁像沉重的石頭
向我的心頭壓下！
當落日像一扇車輪
滾下蒼茫的西天彷彿發出聲音，
狂風把它的光綫吹成了冷絲，
「日落北風死，
不死括三日！」
馬耳山呀，這哀憐的聲音，
你是聽慣了的。
馬耳山，晴天的日子
你便向人擠近了，

陰天，你又騎上雲頭，
跑遠了。
你看得真多啊！
你聽見時間的罡風
忽忽的從耳邊過路，
它把人間吹變了顏色——
把烏黑的頭髮吹成絲縷，
把童心吹成石頭，
把笑把淚一起吹乾了。
把人們，一代一代的
吹到土裏去
他們的辛苦悲酸。

92

你是知道的呵，
他們悲痛的生命，
在墳頭上開出幾朵慘白的小花，
馬耳山呀，在生前
你安慰過他們，
死後，他們永遠在你愛的輝光裏住家。

你永遠掙着一雙耳朵
向着天空，
是要聽出什麼新的消息嗎？
你永遠崛強的站立着，
是要作成一個質問嗎？

你，馬耳山啊！

生活的鞭子，悲慘的抽着苦命人
離開家鄉到天邊去，
背着債主，背着鄰人的眼睛，
起五更，黑暗懸懃的送他一程，
走着，走着，驀然一回頭，
望不見了你，馬耳山，
他哭了。
當我還長着一副神話耳朵，
七十多歲的曾祖母告訴過我，
長毛作反的時候，

馬耳山庇護過這一方人，
你把雲彩散佈在頭頂上，
在強盜的眼，是清澄湛的一片汪洋；
這一次戰爭，
聽說你也窩藏了游擊隊，
不，不但是窩藏，
在有利的時機上
你把他們送出山嶺。

七年了，我們分離，
你像一位知心的密友，
在月夜，在夢裏，

當我對故鄉作着刻骨的相思，
一推門，你闖進我心的秘室，美滋滋的，
燦爛的開花了——
我整個的記憶。

五嶽的首長，泰山，
它的尊容我拜望過了，
武當山，它的名字天下轟傳，
我也曾站在「擎天峯」上嘯叫
朝着青天，
我玩賞它們的壯美，
可是我不能太愛它們，

96

因爲它們只是一些巖石巧妙的堆壘。
我想，門前阡崖上那一排松樹
（兒時月夜捉迷藏的時候
它曾以它的蔭影掩藏過我）
也許被砍平了吧？
老遠老遠便向人親熱招手的那一對旗桿
也許已經倒下去了吧？
多少我的親人，熟人，死了，老了，
又該有多少新生了，成長了；
我想着我再見到你時候的
那心境，我想着，除了
一串悲傷的故事，

該還給我述說一些新的事情……

卅三年三月十七日於渝歌樂山中。

註一：我鄉諺：遠親不如近鄰，近鄰不如對門。
註二：我鄉貧富懸殊，農人就是財主的農奴。
註三：秫秫頭，高粱穗的俗稱。
註四：兎鷹。
註五：「馬耳山後的雪——早化晚化。」

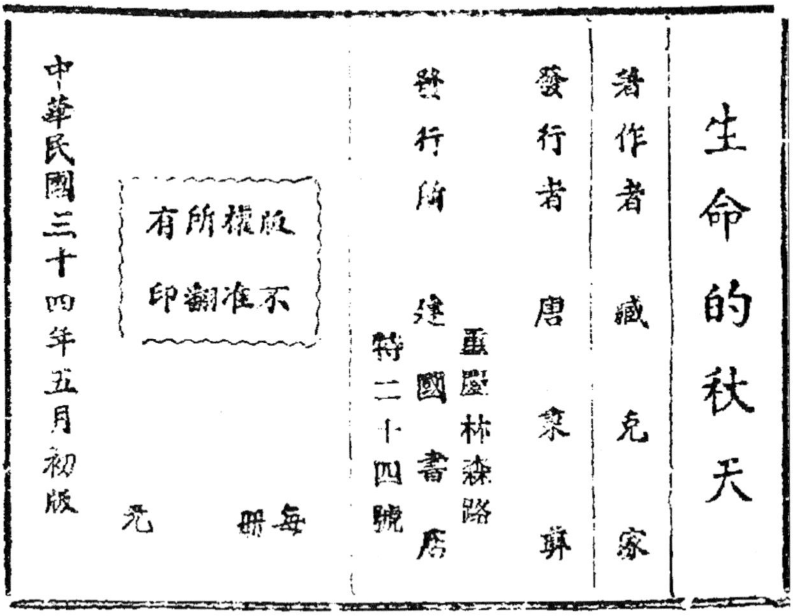

生命的秋天

著作者 臧克家

發行者 唐泉舜

發行所 建國書店 重慶林森路特二十四號

每冊 元

中華民國三十四年五月初版

封面設計：曹苕